U0164022

古籍異文研究

王彥坤◎著

目　錄

上篇　古籍異文現象分析

下篇　古籍異文應用研究

序

　　彥坤學弟所著《古籍異文研究》一書即將行世，此誠學界之
美事。我有幸先讀此書之原稿，讀後頗有感想，略陳數言，以
弁簡端，聊充爲「序」。

　　古籍中之異文，乃是傳統校讎學檢錄之對象，又是校勘、
對比的結果。有校、有比，始能發現文中之「異」。它作爲古
書中自然存在的「現象」，有待於人們的查究、發現、歸納以
至採集爲文、爲書，故《春秋三傳異文釋》之儔緣是而作；作爲
已經過前人發掘、搜集、整理出來的「材料」，它則成爲學術
研究的重要資源。

　　從異文對於古籍本身的探究來說，人們可以通過它來辨明
字句正誤、古書眞僞，推斷書、文撰作年代，考求立論依據或
鑒別版本之優劣等。如《孟浩然詩集》中《舟中晚望》一詩，其
「坐看霞色晚」一句，宋本作「煙霞晚」，明刊本及汲古閣本
等則作「霞色晚」，而《全唐詩》則作「霞色曉」，文有參差，
詞有不同。通過與嚴羽《滄浪詩話》所引相校（此書亦作「霞色
晚」），據推斷，此詞當作「霞色」爲是，「曉」字亦當是
「晚」字。由異文的對勘可以顯其正誤。《列子》一書，所傳作
者列禦寇本與莊周差不多同時，而晉人張湛所注之《列子》，書
中所述多與《莊子》雷同，由兩者所述之異文，可以證知《列子》
可能係張氏之僞託。又前人以《晏子春秋》與《史記·管晏列傳》
兩文相對校，據其相異之處而推知今本《晏子春秋》有漢人劉向

據《史記》增補之佚文。歷代文人讀書、校書，多有擅改古書之陋習，如韓昶（韓愈之子）之改「金根車」爲「金銀車」。明人刻書亦好擅改，故明代中葉以後之刻，多爲劣本，此由異文可以證知。各代書寫刊刻，常有其特殊之避諱字、異體字或簡化字，此亦可由各代之抄本、刻本之比校而得，由是亦可推知其撰作之年代或地域。總之，異文在校勘或版本之學本身，處處都呈現其重要的論證作用，它是校勘學中重要的運用手段。故阮孝緒《七錄・序》說：「昔劉向校書，輒爲一錄。論其指歸，辨其譌謬。」劉氏於譌謬之辨，利用異文是其重要的手段之一。劉氏所校的書中，有「一曰」之例，就是廣求異文的結果。而東漢時之鄭玄注三《禮》，特別是注釋《儀禮》一書，更是重視古、今文書中之異文。他在《儀禮》注中，擇古、今文之善者而從之，使其注釋得其體要，洵稱善注。所以清儒段玉裁在《經義雜記・序》中特別稱讚鄭氏之善於運用異文。他說：「千古之大業，未有盛於鄭康成者也。鄭君之學，不主於墨守而主於兼綜，不主於兼綜而主於獨斷。其於經字之當定者，必相其文義之離合，審其音韻之遠近，以定衆說之是非，而己爲之補正。凡擬其音者，例曰讀如、讀若，音同而義略可知也。凡易其字者，例曰讀爲、讀曰，謂易之以音相近之字而義乃瞭然也。凡審知爲聲相近、形相似二者之誤，則曰當爲，謂非六書假借而轉寫紕謬者也。漢人作注，皆不離此三者，惟鄭君獨探其本原。其序《周禮》有云：二鄭、賈、馬之文章，『其所變易，灼然如晦之見明；其所彌縫，奄然如合符復析。然猶有參錯，同事相違，則就其原文字之聲類，考訓詁，捃祕逸。』夫就其原文，所謂相其文義之離合也。就其字之聲類，所謂審其音韻之遠近也。不知虞、夏、商、周之古音，何以得其假借訓詁？不知古聖賢之用心，又何以得其文義而定所以，整理百家

之不齊哉？」段氏此處所言，關乎鄭玄在注書中揭示異文之理論及方法。如「讀如」、「讀若」，標明同音字之關係；「讀爲」、「讀曰」，指明假借之存於其間；「當爲」則是辨明字詞的正誤。凡此諸端，均與書中之異文有關。審其音韻之遠近、考其文義之依違，均能揭示異文之內在聯繫，都可據以爲考求異文之方法。因此，重視異文的作用，可以說是鄭玄注釋古書的成功祕訣之一。

從異文運用於其他學科的研究上說，它自然更有廣泛的用途。它爲傳統語文學（或稱「小學」）中的文字、音韻、訓詁之學提供了大量的原始材料。許多清代以來取得的音韻學、訓詁學和文字學上的結論，多由異文提供的論證而得。異文成了證明古音的同異、分合、文字及詞語的是否同源、同族，詞義上是否密切相關和有無發展、承傳的關係等方面的重要證據。這一點，彥坤書中有相當詳細的介紹。近若干年來，學術界致力於古籍中「通假字」及其他異文材料的收集，並編成工具書，可以證知人們已日益了解到它的重要性。

異文的重要作用，隨著我國學術的進步、古籍整理工作的開展、校讎版本之學研究的深入，已漸爲人們所認識。但是，在過去若干年中，人們還欠缺對「異文」本身作爲一個重要的研究課題來進行深入的探究。彥坤同志有鑒於此，多年來著力於對古籍異文作比較全面和深入的研討，實在很有見地，也很有必要，這項工作很有學術價值。

彥坤同志此書的寫作，不單在總體上有其學術意義，在此書的具體研究上，也有許多特點值得稱道：

第一，本書對古籍中的「異文現象」，從其出現場合、規模、產生原因和表現方式等方面做了相當全面的歸納。如產生的原因，從古人作書爲文的風格、讀書或校書的風氣和寫作時

與當時社會運用語言、文字的習慣的關係等，作了接近於全方位的分析，使讀者對異文出現的原因、場合等有一個全面的印象。書中所述，有一些是罕爲人注意到的。

第二，此書對異文的研究，並不停留在羅列現象及推究其出現的原因上。更重要的是指出了異文中字詞對應的諸種關係以及異文應用上的學術價值。歸納了異文在校勘學、訓詁學、音韻學、語法學、文字學、修辭學等學科上實際運用的情況和具體的論證效能。這對我國古典文獻學或文獻資料學的深入研究，有其理論上的意義。

第三，此書在審視異文材料對學術研究的作用之時，並不一味推重它的效用，而是用一分爲二的觀點、實事求是地論述其作用。此書所闢的「異文應用中存在的幾個問題」一章，特別分析了異文材料應用上的一些不良表現以及要注意防止的傾向，並進而提出應用異文材料的「二要素」和「三原則」，這些都是很有見地的提法。這表現作者在進行本專題的研究中具有實事求是的學風和相當警策的學術觀點。這也是作者的研究能力達到較爲高度的水平的一種標誌。

第四，本書各章節的論述，處處表現了作者勤於搜集資料和善於觀察問題的特點和寫作上簡而有當、要言不煩的良好風格。此書的篇幅不大，但內容相當豐富；文雖不繁而含義甚豐。彥坤同志認眞、踏實的治學特點，在此書的撰作上表現了出來。

以上所述各點，在我讀完此書時便在腦際浮現出來。借此機會略爲介紹，聊申拋磚引玉之意云爾。

李新魁　一九九三年三月於中山大學

臺灣版序

　　本書在筆者碩士學位論文基礎上修訂而成，初稿完成於一九八五年五月，大體寫定於一九八七年四月。一九九三年七月，廣東高等教育出版社印行了本書的大陸版，眼下，本書又將在臺灣問世，能夠同時獲得海峽兩岸讀者賜教，這實在是我的榮幸。

　　本書引證材料較多，此次出臺灣版，筆者又對全書引文逐條校對一過，並改正了若干錯漏。同時，為使引證材料出處清楚，特新編製了一個「引用著作目錄」附在書後。

　　本書出大陸版時，曾請吾師中山大學李新魁教授寫了一篇序言，今仍弁諸卷首。筆者於此再次向李師表示衷心的感謝。

　　是書在臺出版，若對海峽兩岸學術文化交流能有些許裨益的話，則幸甚。謹祈臺灣學界同仁不吝賜教。

王彥坤

一九九三年十一月二日於廣州暨南園

前　言

　　什麼叫異文？一般認為，「異文」一詞具有廣狹二義：狹義的「異文」乃文字學之名詞，它對正字而言，是通假字和異體字的統稱。廣義的「異文」則作為校勘學之名詞，「凡同一書的不同版本，或不同的書記載同一事物，字句互異，包括通假字和異體字，都叫異文。」①本書所要討論的，是廣義上的異文。

　　古文獻中保存著極為豐富的異文材料。這些異文材料歷來為學者所重視，並終於逐漸發展成為學者們進行各種研究工作的一種得力的工具。

　　早在西漢成帝時，劉向奉詔校理羣書，就已經廣泛地利用不同傳本異文，進行大規模的古籍校勘工作。②《漢書・藝文志》載：

　　　　劉向以中《古文易經》校施、孟、梁丘經，或脫去「無
　　　　咎」、「悔亡」，惟費氏經與古文同。

又說：

　　　　劉向以中古文（《尚書》）校歐陽、大小夏侯三家經文
　　　　……文字異者七百有餘，脫字數十。

其後，東漢鄭玄詮釋諸經，亦多參照各本異文，擇善而從。賈公彥說：

> 鄭（玄）注《禮》之時……或從今（文），或從古（文），皆逐義彊者從之；若二字俱合義者，則互換見之。③

何晏也說：

> 漢末大司農鄭玄就《魯論》篇章考之《齊》、《古》，為之註。④

北齊顏之推作《顏氏家訓》，其中《書證》一篇於古書疑誤多所是正，亦每以各本異文爲比較。如篇中說：

> 《詩》云：「有杕之杜」。江南本並木傍施大……而河北本皆為「夷狄」之「狄」，讀亦如字，此大誤也。

又說：

> 《詩》云：「將其來施施」。……《韓詩》亦重為「施施」。河北《毛詩》皆云「施施」。江南舊本悉單為「施」，俗遂是之，恐為少誤。

又說：

> 《漢書》「田肎賀上」，江南本皆作「宵」字……吾至江

北，見本為「肎」。

皆其例也。

　　唐陸德明的《經典釋文》，採輯漢魏南北朝以來諸家讀音、
詁訓及文字異同，更簡直可以當作一部古書異文集看待了。其
《序錄》說：

> 余旣撰音，須定紕謬。若兩本俱用，二理兼通，今並出
> 之，以明同異；其涇渭相亂，朱紫可分，亦悉書之，隨
> 加刊正；復有他經別本，詞反義乖，而又存之者，示博
> 異聞耳。

　　不過，直至淸代以前，學者們對於異文的利用，一般還祇
是局限於廣異聞、正譌誤上，極少超出校勘的範圍。入淸以
後，漢學大興，文字、音韻、訓詁諸學都得到了很大的發展而
成專門。學者們也開始拿起異文這個武器，來從事校勘以外其
他各門學科的研究了。比如，錢大昕在論證其著名的「古無輕
脣音」、「古無舌上音」的音韻學命題時，就列舉了大量的古
書異文材料爲佐證。⑤王念孫作《廣雅疏證》，亦遍搜古書異
文，以爲訓詁之資。王引之寫《經傳釋詞》，又廣泛地運用古書
異文於漢語虛詞的研究。總之，淸代學者不但應用校勘、文
字、音韻、訓詁、語法等學科的知識考釋古書中的異文，⑥而
且也反過來利用古書異文材料進行校勘、文字、音韻、訓詁、
語法等語文科學的研究。⑦他們對於異文的應用，已經從祇知
道作些呆板比校的消極的應用，進入到能動的、積極的應用
了。這種應用使他們的漢學研究取得了極其可喜的成績；而這
種應用方法本身也因此受到了後人的重視，並爲後人所繼承。

⑧

　　無庸諱言，前人在應用異文進行研究工作的時候，也不是沒有缺點錯誤的。由於至今還沒有人對異文本身的情況作過深入細緻的分析，也沒有人對前人應用異文的實踐作過全面認眞的總結，這就使得異文的應用因爲缺少科學的理論指導而不免要出現盲目性，產生這樣或那樣的缺點錯誤。

　　爲了使異文在我們的語文科學各項研究工作中，從帶有盲目性的應用進入到科學的應用，從而使它發揮更大的作用，我們有必要從理論上對異文本身及其應用上的各種問題作一番認眞的探討。這就是筆者寫作本書的動機。

　　本書將分《古籍異文現象分析》與《古籍異文應用研究》兩大部份進行論述。

注　　釋

①見《辭海》（一九七九年版）中冊二四六五頁〔異文〕條。

②《國語・魯語下》記載魯大夫閔馬父對景伯的話說：「昔正考父（周末宋國大夫——筆者注）校商之名《頌》十二篇於周太師」。筆者認爲，所謂校商《頌》於周太師者，當是據周太師所藏《詩》本子進行對校。如果此說不誤的話，則利用同書不同傳本異文校勘古籍的作法，於周末已經有了。不過，若論大規模的校勘，則還是當從劉向開始。

③《十三經注疏・儀禮注疏・士冠禮》「布席于門中」句《疏》。

④《十三經注疏・論語注疏》卷首載晏《論語集解序》。

⑤見《十駕齋養新錄》卷五「古無輕脣音」、「舌音類隔之說不可信」兩條。

⑥陳喬樅的《詩經四家異文考》，李富孫的《春秋三傳異文

釋》，柳榮宗的《說文引經考異》等，都是這一方面的專著。

⑦高郵王氏父子《廣雅疏證》、《讀書雜志》、《經義述聞》、《經傳釋詞》諸書，尤爲此中典範。

⑧最突出的例子有裴學海先生《古書虛字集釋》。該書詮釋虛詞往往引用大量異文材料爲佐證，顯然是對《經傳釋詞》釋詞方法的繼承。又，黃典誠先生有《反切異文在音韻發展研究中的作用》一文，更完全是根據異文材料立論。

上 編

古籍異文現象分析

第一章　異文存在的場所及規模

一、異文存在的場所

一般說來，異文存在於下面三種情況之中：

第一是同一部書的不同傳本、版本。如，《詩》在漢代有毛亨（《毛詩》）、轅固（《齊詩》）、申培（《魯詩》）、韓嬰（《韓詩》）四家傳本，①《春秋》至今有左丘明（《左氏春秋》）、公羊高（《公羊春秋》）、穀梁赤（《穀梁春秋》）三家傳本。傳本不同，文字也有差異。例如：

(1)《毛詩·衛風·淇奧》：「有匪君子」。

《齊詩》、《魯詩》並作：「有斐君子」。

《韓詩》則作：「有邲君子」。②

(2)《毛詩·召南·甘棠》：「勿翦勿伐」。

《韓詩》則作：「勿剗勿伐」。

《魯詩》又作：「勿𪮰勿伐」。③

(3)《左氏春秋經·桓公十五年》：「公會齊侯于艾」。

《公羊春秋》作：「公會齊侯于鄗」。

《穀梁春秋》則作：「公會齊侯于蒿」。

(4)《左氏春秋經‧昭公十二年》：「楚殺其大夫成熊」。

《公羊春秋》則作：「楚殺其大夫成然」。

《穀梁春秋》又作：「楚殺其大夫成虎」。

對於諸如此類的不同傳本的異文，後人或者加以輯錄疏證，於是便有了像《三家詩異文疏證》（馮登府撰）、《詩經四家異文考》（陳喬樅撰）、《詩經異文釋》（李富孫撰）以及《春秋經文三傳異同考》（陳萊孝撰）、《春秋三傳異文釋》（李富孫撰）、《春秋三家異文覈》（朱駿聲撰）等一類異文集的產生。

又如，《晏子春秋》現存版本有明活字本、成化刻本、嘉靖刻本、緜眇閣本、淥碧居鈔本、吳勉學本、黃之寀本、吳懷保本、楊愼評本、凌澄初本、子彙本、且且菴本、歸有光評本、諸子彙函本、淸經訓堂本、景元鈔本、吳鼐本、指海本以及其他各家校本、注本等等；④《劉子》現存版本有程遵岳校乾隆重刊《漢魏叢書》本、法藏敦煌（甲）（乙）（丙）三本、孫星衍與黃丕烈跋宋刻本、影鈔活字本、明萬曆五年刊《子彙》本、明萬曆六年吉府刻《二十家子書》本、彭元瑞藏舊鈔本、《四庫全書》文津閣本、《龍谿精舍叢書》本、景《道藏》本、光緒紀元崇文書局《百子全書》本、明刊《五家言合刻》本等等，不下數十種⑤：這些不同的版本，也同樣存在著文字異同的情況。例如：

(1)《晏子春秋‧內篇諫上》：「蓋是後也，飭法修禮以治國政，而百姓肅也。」

黃之寀本「飭法」作「飾法」。吳勉學本則作「理法」。⑥

(2)同書《內篇諫下》：「古者嘗有處橧巢窟穴而不惡，予

而不取，天下不朝其室，而共歸其仁。」

吳勉學本、子彙本如是。景元鈔本無「窟」字。指海本「穴」字下有「王天下者」四字。縣眇閣本、楊慎評本則「檜」字作「檜」。⑦

(3)《劉子‧從化篇》：「堯舜之人，可比屋而封；桀紂之人，可接屋而誅。」

法藏敦煌（甲）本「比屋」作「家家」。宋刻本、影鈔活字本、《子彙》本、景《道藏》本等又並作「比家」。⑧

(4)同書《妄瑕篇》：「大道混然無形」。

影鈔活字本、舊鈔本、景《道藏》本等「大」字作「天」。吉府刻《二十家子書》本、《五家言》本則並作「夫」。⑨

　　第二是記載同一事物的各種資料。如，《尹文子‧大道上篇》、《呂氏春秋‧雍塞篇》皆有齊宣王好射事之記載；《孟子‧梁惠王下篇》、《莊子‧讓王篇》、《呂氏春秋‧審為篇》、《淮南子‧道應訓》皆有周先祖古公亶父（太王）去邠事之記載；《管子‧戒篇》、《列子‧力命篇》、《莊子‧徐無鬼篇》、《呂氏春秋‧貴公篇》皆有管子臨終與齊桓公論擇相事之記載；《鄧析子‧轉辭篇》、《莊子‧胠篋篇》皆有關於「聖人不死，大盜不止」的議論：各書記載之中，亦不同程度地存在著文字異同的現象。今僅以古公亶父去邠事在各書中的記載為例，以說明之：

《孟子‧梁惠王下篇》曰：「昔者大王居邠，狄人侵之。事之以皮幣，不得免焉；事之以犬馬，不得免焉；事之以珠玉，不得免焉。乃屬其耆老而告之曰：『狄人之所欲者，吾土地也。吾聞之也：君子不以其所以養人者害人。二三子何患乎無君？我將去之。』去邠，踰梁山，邑于岐山之下居焉。邠人曰：『仁人也，不可失也。』從之者如歸市。」

《莊子‧讓王篇》曰：「大王亶父居邠，狄人攻之。事之以皮帛而不受，事之以犬馬而不受，事之以珠玉而不受，狄人之所求者土地也。大王亶父曰：『與人之兄居而殺其弟，與人之父居而殺其子，吾不忍也。子皆勉居矣！為吾臣與為狄人臣奚以異？且吾聞之，不以所用養害所養。』因杖筴而去之。民相連而從之，遂成國於岐山之下。」

《呂氏春秋‧審為篇》云：「太王亶父居邠，狄人攻之。事以皮帛而不受，事以珠玉而不肯，狄人之所求者地也。太王亶父曰：『與人之兄居而殺其弟，與人之父處而殺其子，吾不忍為也。皆勉處矣！為吾臣與狄人臣奚以異？且吾聞之，不以所以養害所養。』杖策而去，民相連而從之，遂成國於岐山之下。」

《淮南子‧道應訓》云：「大王亶父居邠，翟人攻之。事之以皮帛珠玉而弗受。曰：翟人之所求者地，無以財物為也。大王亶父曰：『與人之兄居而殺其弟，與人之父處而殺其子，吾弗為。皆勉處矣！為吾臣與翟人奚以

異？且吾聞之也，不以其所養害其養。』杖策而去，民相連而從之，遂成國於岐山之下。」

上四書所記，雖然內容大體相同，而文字則互有差別。如《孟子》、《莊子》、《淮南子》作「大王」，而《呂氏春秋》則作「太王」；《孟子》、《莊子》、《呂氏春秋》作「狄人」，《淮南子》則作「翟人」；《孟子》「侵之」，《莊子》、《呂氏春秋》、《淮南子》並作「攻之」；《孟子》作「皮幣」，其他三書皆作「皮帛」；《莊子》「與人之父居」、「皆勉居矣」，《呂氏春秋》、《淮南子》「居」並作「處」；《莊子》、《呂氏春秋》「不受」，《淮南子》作「弗受」；《莊子》「不忍」，《呂氏春秋》作「不忍為」，《淮南子》則作「弗為」；《莊子》「所用養」，《呂氏春秋》作「所以養」；《莊子》、《呂氏春秋》「所養」，《淮南子》則作「其養」；如此等等，不一而足。

　　第三是具有引用與被引用關係的文獻之間。這裡又分三種情形：

　■其一是「一般引語與被引語」。如《說文解字》所引《詩》、《書》、《禮》、《易》、《春秋》、《國語》、《孝經》、《爾雅》、《論語》、《孟子》、《墨子》、《楚辭》諸書語，文字每與今本各書有異，屬於這類情況。例如：

(1)《毛詩‧衛風‧伯兮》：「焉得諼草」。
　《說文‧艸部‧藼》下引《詩》，作「安得藼艸。」

(2)《周易‧繫辭下》：「服牛乘馬」。
　《說文‧牛部‧犕》下引《易》，作「犕牛乘馬」。

(3)《周禮・考工記・廬人》：「句兵欲無彈」。
《說文・人部・僤》下引《周禮》，作「句兵欲無僤」。

　　■其二是「注文與本文」。如《經典釋文》之注羣經，一般都是先將被注字（連同其前後之一、二字）錄出，再在下邊加注讀音；其所錄出文字，時與今本經文、經注有異，屬於這類情況。例如：

(1)《孝經・喪親章》：「卜其宅兆而安措之」。
《經典釋文》出注，作「卜其宅兆而安厝之」。

(2)《周禮・地官・大司徒》：「六曰以俗教安，則民不偷」。
《經典釋文》出注，「不偷」作「不愉」。

(3)《周易・歸妹》：「君子以永終知敝」。
《經典釋文》出注，「知敝」作「知弊」。

　　■其三是「類書、書鈔與原書」。類書如《藝文類聚》、《太平御覽》等，書鈔如《羣書治要》、《意林》等，皆以輯錄前人著作為內容。其中文字也多與今本原書相出入，同樣蘊藏著極為豐富的異文材料。例如：

(1)《列子・湯問篇》：「徐以神視，塊然見之，若嵩山之阿」。
《藝文類聚》卷九七引，「徐」作「倏」。

(2)《淮南子‧天文訓》：「人主之情，上通于天」。

　　《太平御覽》卷九、卷八七六引，「情」並作「精」，
　　且無「上」字。

(3)《新語‧資質篇》：「立則為大山眾木之宗，仆則為萬
　　世之用」。

　　《羣書治要》作：「立則為眾木之珍，仆則為世用」。

(4)《晏子春秋‧內篇雜上》：「左右所求，法則予，非法
　　則否，而左右惡之」。

　　《意林》卷一「所求」作「取求」。

二、異文的規模

　　所謂異文的規模，是指構成異文的材料，在語文組織中所
包括的範圍。

　　構成異文的材料，可以具有不同的規模。

　　可以祇包括一個詞語，如上面提到的《經典釋文》中的被注
經文、經注摘錄字，與今本原文所構成的異文，以及某些人地
專用名詞、譯音詞、連綿詞在各書中的不同寫法，都屬於這種
情況。

　　可以祇包括一個句子，如上面提到的《說文解字》引文，與
今本原文所構成的異文，多屬於這種情況。

　　可以是一段文字，如上面提到的類書、書鈔的文字，與原
書所構成的異文，多屬於這種情況。

　　也可以是整個篇章，如《史記》中有不少篇章直接取材於
《尚書》，其中《五帝本紀》採用《堯典》，《夏本紀》採用《禹貢》、

《皋陶謨》、《甘誓》，《殷本紀》採用《湯誓》、《高宗肜日》、《西伯戡黎》，《周本紀》採用《牧誓》，《魯周公世家》採用《金縢》，《宋微子世家》採用《微子》、《洪範》，以上《尚書》各篇，便都可以整篇整篇地從《史記》相應篇章中找到各自的異文。

還可以是一整部書，如上面提到的同書不同傳本、版本所構成的異文，即屬於這種情況。

爲了更加清楚地說明這個問題，今特列出異文材料規模例表於下：

異文材料規模例表

異文材料之規模	異文材料之來源	舉　　　　　　例
	1. 古籍注疏中作爲被注對象錄出的詞語，與今本原文所構成的異文。	《左傳·昭公二十九年》：「其坤䷁曰：見羣龍無首，吉。」《經典釋文》出注，「其坤」作「其巛」。
包括一個詞語	2. 某些人地專用名詞、譯音詞、連綿詞，因其在各書中寫法不同而形成的異文。	(1)古人名「伏羲」（《潛夫論·五德志》）或作「庖犧」（《說文解字·敍》），或作「包犧」（《周易·繫辭下》），或作「宓羲」（《漢書·古今人表》），或作「伏戲」（《莊子·大宗師》），或作「炮犧」（《漢書·律曆志下》）。 (2)古地名「蟠木」（《大戴禮記·五帝德篇》）或作「扶木」（《呂氏春秋·爲欲篇》），或作「榑木」（《山海經·東山經》）。 (3)梵文 Buddha 的譯音詞，或作「佛陀」（簡稱「佛」），或作「浮屠」（並見《魏書·釋老志》），或作「浮圖」（《後漢書·西域傳·天竺國》），或作「菩提」（《華嚴金師子章·成菩提第九》）。 (4)連綿詞「匍匐」（《詩·邶風·谷風》）或作

		「扶服」（《禮記・檀弓下》），或作「匍伏」（《戰國策・秦策一》），或作「蒲服」（《史記・蘇秦傳》），或作「蒲伏」（《左傳・昭公十三年》）。
包括一個句子	此書引用彼書某一句話，文字上存在異同，因而構成的異文。	(1)《說文・糸部・絠》下引《易》曰：「需有衣絠」，今《周易・既濟・六四》作「繻有衣袽」。 (2)《左傳・僖公五年》宮之奇引《周書》語：「民不易物，惟德繄物。」今《尚書・周書・旅獒》作「人不易物，惟德其物。」
包括一段文字	1. 類書、書鈔輯錄前人著作之文字，與原書所構成的異文。	《顏氏家訓・後娶篇》：「吉甫，賢父也；伯奇，孝子也。以賢父御孝子，合得終於天性；而後妻間之，伯奇遂放……愼之哉！愼之哉！」《事文類聚》後集卷五輯錄了這段文字，「愼之哉！愼之哉！」作「謹之哉！謹之哉！」
	2. 此書引用彼書某一段話，文字上存在異同，因而構成的異文。	《潛夫論・愼微篇》引孔子語：「善不積不足以成名，惡不積不足以滅身。小人以小善謂無益而不爲也，以小惡謂無傷而不去也，是以惡積而不可掩，罪大而不可解也。」所引孔子語出自《周易・繫辭下》。今《繫辭下》兩「謂」字並作「爲」；「不爲」、「不去」作「弗爲」、「弗去」；「是以」作「故」；「掩」作「揜」；且句末亦無「也」字。
	3. 各書同載一事，文字互有出入，因而構成的異文。	《管子・戒篇》、《莊子・徐無鬼篇》、《列子・力命篇》、《呂氏春秋・貴公篇》皆有管仲臨終與齊桓公論擇相事之記載，其間各書文字互有出入。於此文長不錄。
包括整個篇章	一書之某個篇章直接取材於另一書，文字互有異同，因而構成的異文。	《漢書・文帝紀》取材於《史記・孝文本紀》，因而《文帝紀》整個篇章自始至終都可以從《孝文本紀》中找到異文。

| 包括一整部書 | 同書不同傳本、版本所構成的異文。 | (1)左氏、公羊、穀梁三家所傳《春秋》構成的異文。 |
| | | (2)由各書不同版本構成的異文。 |

注　釋

①齊、魯、韓三家詩已經先後亡失，我們今天所能見到的，祇是後代學者從引用過三家詩的古籍中輯錄出來的佚文。

②③見王先謙《詩三家義集疏》。

④見吳則虞《晏子春秋集釋》卷首《晏子春秋版本及箋校書目》。

⑤見林其錟、陳鳳金《劉子集校》卷首《集校所用版本及書目提要》。

⑥⑦見吳則虞《晏子春秋集釋》。

⑧⑨見林其錟、陳鳳金《劉子集校》。

第二章 異文產生的主要原因

　　造成異文的原因很多，也很複雜，而其中主要的則有以下九個方面：

一、各 記 所 聞

　　古人紀事，或據傳聞。所聞不同，文難一律。《公羊傳》中曾經三次出現「所見異辭，所聞異辭，所傳聞異辭」之語①，足證古人有各據傳聞記事者。孫德謙《古書讀法略例》卷一有《傳聞例》一章，舉《孟子》、《說苑》二書與《論語》所載事同文異者凡十數事，以證古人引用舊說，有各據傳聞之例，欲使「讀其書者，明乎其有傳聞之例，則無庸瑣瑣爲之辨訂」。孫氏之本意自然不離闡明古書讀法，但他在這裡卻無意中爲我們指出了異文產生的一個重要原因。孫書舉例翻檢可得，於此不錄。今另舉兩例與孫氏相印證：

例一

　　《晏子春秋·內篇問上》：「景公問于晏子曰：『治國何患？』晏子對曰：『患夫社鼠②。』公曰：『何謂也？』對曰：『夫社，束木而塗之，鼠因往託焉，熏之則恐燒其木，灌之則恐敗其塗，此鼠所以不可得殺者，以社故也……此亦國之社鼠也。』」

《韓非子‧外儲說右上》：「故桓公問管仲曰：『治國最奚患？』對曰：『最患社鼠矣。』公曰：『何患社鼠哉？』對曰：『君亦見夫為社者乎？樹木而塗之，鼠穿其間，掘穴託其中，燻之則恐焚木，灌之則恐塗阤。此社鼠之所以不得也……此亦國之社鼠也。』」

上引《晏子春秋》及《韓非子》中的二段文字，內容都是君問治國所患，臣答社鼠之害，而一以為齊景公問晏子，一以為齊桓公問管仲。又，以為齊景公問晏子，與《晏子春秋》記載相似的還有《韓詩外傳》（卷七第九章）；以為齊桓公問管仲，而與《韓非子》記載略同的又有《說苑》（見《政理篇》）。各書記載何以不同若此，如果不是因為傳聞不同的緣故，又該如何解釋呢？③

例二

《呂氏春秋‧尊師篇》：「黃帝師大撓，帝顓頊師伯夷父，帝嚳師伯招，帝堯師子州支父，帝舜師許由，禹師大成贄，湯師小臣，文王、武王師呂望、周公旦……」

《韓詩外傳》卷五第二十八章記子夏語曰：「臣聞黃帝學乎大填，顓頊學乎祿圖，帝嚳學乎赤松子，堯學乎務成子附，舜學乎尹壽，禹學乎西王國，湯學乎貸子相，文王學乎錫疇子斯，武王學乎太公，周公學乎虢叔……」

《新序‧雜事五》同樣引子夏語，則曰：「臣聞黃帝學乎大真，顓頊學乎綠圖，帝嚳學乎赤松子，堯學乎尹壽，舜學乎務成跗，禹學乎西王國，湯學乎威子伯，文王學

乎銩時子斯，武王學乎郭叔，周公學乎太公……」

《潛夫論・讚學篇》引《志》曰：「黃帝師風后，顓頊師老彭，帝嚳師祝融，堯師務成，舜師紀后，禹師墨如，湯師伊尹，文、武師姜尚，周公師庶秀……」

《荀子・大略篇》云：「堯學於君疇，舜學於務成昭，禹學於西王國。」

上面是各書關於古代聖賢學師的記載，其間差異竟是如此之大，這同樣是各記所聞的結果。

二、引用書意

古人引書，多爲意引，不一定符合原文，更不求一字不差。於是引文與原文之間，便出現了異文現象。陸德明作《經典釋文》，就公開聲明說：「余今所撰，務從易識。援引衆訓，讀者但取其意義，亦不全寫舊文。」吳承仕疏曰：「此言作音欲令讀者易曉，引書但取大意，亦不全寫舊文。」①

今以《說文解字》引書爲例。

其中，有節略其辭的，如：

《左傳・襄公十三年》：	《說文・穴部・窀》下引作：
（若以大夫之靈，獲保首領以殁於地，）唯是春秋窀穸之事，所以從先君於禰廟者（，請爲「靈」若「厲」）。	窀穸从先君於地下。

有擴充其文的，如：

《周禮·冬官·玉人》：	《說文·玉部·瓚》下則曰：
天子用全，上公用龍，侯用瓚，伯用將。	《禮》：天子用全，純玉也；上公用駹，四玉一石；侯用瓚；伯用埒，玉石半相埒也。

也有變易其字的，如：

《詩·小雅·吉日》：	《說文·示部·禂》下引作：
既伯既禱	既禡既禂

還有顛倒其詞序的，如：

《左傳·昭公元年》：	《說文·行部·衝》下引作：
（子南知之，執戈逐之，）及衝，擊之以戈。	及衝，以戈擊之。

《說文》中諸如此類引用書意的例子很多，自不得因其與原書文字出入就一概視爲脫、衍、誤、倒。

又，前人述古之作，多有取材於古文獻者，如司馬遷作《史記》，其中便有相當部份內容是對《尚書》的復述。當然，《史記》並不是一字不變地照錄《尚書》，而是有所分合，有所化裁，並且還用了當時——西漢時代的語言對譯素稱佶屈聱牙的《尚書》文句，使之易爲時人所理解。前人這種作法，實際上也是對於古書的引用，祇不過這是一種不明言爲引用的引用罷了。這種引用之屬於意引，乃是不言而喻的。而就其引用規模來說，則往往要比一般明言引用者還大得多。由此而產生的異文，並非少數。下面僅從《尚書》、《史記》二書各自第一篇中，錄出若干對應語句，以見一斑：

《尚書・堯典》	《史記・五帝本紀》
克明俊德	能明馴德
協和萬邦	合和萬國
欽若昊天，厤象日月星辰	敬順昊天，數法日月星辰
宅嵎夷	居郁夷
寅賓出日，平秩東作	敬道日出，便程東作
厥民析，鳥獸孳尾	其民析，鳥獸字微
宅南交	居南交
平秩南訛	便程南為
宅西	居西土
寅餞納日，平秩西成	敬道日入，便程西成
宵中	夜中
以殷仲秋	以正中秋
宅朔方	居北方
平在朔易	便在伏物
朞三百有六旬有六日，以閏月	歲三百六十六日，以閏月正四
定四時	時
允釐百工，庶績咸熙	信飭百官，眾功皆興
帝曰：「疇，咨，若時登庸？」	堯曰：「誰可順此事？」
胤子朱，啟明	嗣子丹朱，開明
共工方鳩僝功	共工旁聚布功
帝曰：「吁！靜言庸違，象恭滔天。」	堯曰：「共工善言，其用僻，似恭漫天，不可。」
下民其咨，有能俾乂	下民其憂，有能使治者
僉曰	皆曰
方命圮族	負命毀族

九載，績用弗成	九歲，功用不成
巽朕位	踐朕位
否德忝帝位	鄙惪忝帝位
明明揚側陋	悉舉貴戚及疏遠隱匿者
瞽子	盲者子
克諧以孝，烝烝乂，不格姦	能和以孝，烝烝治，不至姦
女于時，觀厥刑于二女。釐降	於是堯妻之二女，觀其德於二
二女于嬀汭……	女。舜飭下二女於嬀汭……

三、不解而改

　　古人引書，也有因爲不解原文詞語意義，遂以爲誤，而加改「正」的。於是在經過改竄的引文與未經改竄的原文之間便出現了文字的異同。

　　引書因爲不解原文詞語意義而加改竄的情況以類書、書鈔爲最多，這與類書、書鈔編纂年代往往距原書寫作時代較遠，古語古義已難明之不無關係。今舉其例於下：

　　(1)《荀子‧勸學篇》：「爲善不積邪，安有不聞者乎？」
　　《羣書治要》引，作：「爲善積也，安有不聞者乎？」

王念孫曰：

　　（《荀子》）「不積」之「不」，涉上下文而衍，當依《羣書治要》刪。⑤

　　今按：王說非也。「爲善不積邪，安有不聞者乎？」

其意為：為善不積耳，（為善而積），安有不聞者乎？「為善而積」雖省而未言，然可意會得之。此即楊樹達先生《古書疑義舉例續補》中之所謂「省句」也。《羣書治要》之編撰者不知古人文中有省句例⑥，遂加改竄，而王氏又沿其誤矣。

(2)《大戴禮記‧保傅篇》：「於是比選天下端士、孝悌閑博有道術者，以輔翼之，使之與太子居處出入。」
賈子《新書‧保傅篇》、《漢書‧賈誼傳》、《初學記‧儲宮部》記此，「閑博」並作「博聞」。

王念孫曰：

「閑」與「博」義不相屬。「閑博」當為「博聞」。「聞」譌作「閑」，又倒在「博」上耳。⑦

今按：作「閑博」者原文；作「博聞」者，後人不知「閑」字之義而誤改也。《荀子‧脩身篇》云：「多聞曰博，少聞曰淺；多見曰閑，少見曰陋。」「閑博」正取多見多聞之義。「孝悌閑博」四字並列，若作「博聞」，則不類矣。

(3)《漢書‧武五子傳》：「陛下左側讒人眾多」。
王念孫所見本《藝文類聚‧蟲豸部》、《太平御覽‧蟲豸部一》引此，「左側」並作「在側」。⑧

王氏因曰：

君側有讒人，不當獨指左側言之，「左側」當為「在

側」，字之誤也。⑨

　　今按：「左側」不誤，左側謂左右近側也。《史記・趙
世家》：「老婦恃輦而行耳。」《索隱》曰：「若娃年二十入王
宮，至此亦年六十左側，亦可稱老。」亦言「左側」。「年六
十左側」猶言「年六十左右」也。此猶鄰近之稱「左近」，
（如：《水經注》卷三七《夷水注》：「每至大旱，平樂村左近村
居，輦草穢著穴中，龍怒，須臾水出」。）豈得言「左近」獨
指左方近處乎？王氏所見本《類聚》、《御覽》改「左側」為「在
側」，反為不辭，其誤與王氏同。

四、字有異體

　　漢字是漢語的書寫符號。漢語中的一個詞，在書面上可以
用一個或者幾個漢字來表示。這記錄了詞的一個或者幾個漢
字，乃是詞的書面形式，而它的讀音及意義，則是詞的語音形
式及內容。

　　詞的書面形式與語音形式及內容的關係並不是一對一的關
係。同一書面形式可以用來表示不同的詞而意義不同。如
「好」既可以是表示「美好」的「好」，音 hǎo；也可以是表
示「肉好」（璧體為肉，孔為好）的「好」，音 hào。「乾」
既可以是表示「乾濕」的「乾」，音 gān；也可以是表示「乾
坤」的「乾」，音 qián。「淺淺」在「淺淺池塘短短牆」⑩中
讀 qiǎnqiǎn，是不深滿的意思；而在「石瀨兮淺淺」⑪中則讀
jiānjiān，形容水流急速貌。反過來，音義完全相同的同一個
詞，也可以用不同的書面形式——異體字來表示。漢字歷來有
所謂正俗字、古今字、繁簡字、或體字、異體字種種名目，儘

管其命名之出發點各不相同，然而都有一個共同的特點，那就是音同義同而筆劃字體不同，歸根結底，都是屬於異體字的範疇。⑫

古書中由於使用異體字而形成異文的情況極爲常見。例如：

(1)《顏氏家訓・書證篇》：「所以江南《詩》古本皆爲叢聚之叢。」

宋本如是，或本「叢」字作「藂」。

今按：《玉篇》、《廣韻》並以「藂」爲「叢」之俗字。

(2)朱熹《詩集傳》本《小雅・鶴鳴》：「鶴鳴于九皋。」

《楚辭補註・離騷》「步余馬於蘭皋兮」下洪興祖《補註》引《詩》，「皋」作「皐」。

今按：《康熙字典》、《中華大字典》並以「皐」爲「皋」之俗字。

以上「藂」之與「叢」，「皐」之與「皋」，皆爲俗體、正體之不同。

(3)《墨子・尚賢上》：「今上舉義不辟貧賤」。

《羣書治要》「辟」字作「避」。

(4)《墨子・尚賢中》：「蚤出莫入，耕稼樹藝，聚菽粟」。

同書《非樂上篇》：「農夫蚤出暮入，耕稼樹藝，多聚

叔粟。」⑬「莫」作「暮」。

以上「辟」之與「避」，「莫」之與「暮」，並屬古今字之區別。

(5)《周易‧離》：「死如棄如」。
　　唐石經「棄」作「弃」。⑭

(6)《尚書‧舜典》：「八音克諧」。
　　《說文、龠部‧龤》下引，作「八音克龤」。

以上「棄」之與「弃」，「龤」之與「諧」，自有繁體、簡體之差異。

(7)《尚書‧禹貢》：「瑤琨篠簜」。
　　馬融本「琨」字作「瓁」。⑮

(8)《周易‧蠱》：「君子以振民育德」。
　　王肅本「育」字作「毓」。⑯

以上「瓁」之與「琨」，「毓」之與「育」，《說文》並以前一字爲後一字之或體。

五、但記詞音

漢字屬於表意文字。絕大多數漢字，除了具有形、音兩個要素之外，還具有義的要素。漢字作爲記錄漢語的書面符號，

它的一個很大的特點就是：字音和字義同時發生作用，字義與詞義關係相當密切。字音標誌著詞的讀音，字義參與規定了詞的寫法應該是用這一個或這幾個漢字而不是別一個或別幾個同音的漢字，其結果是使漢語的每個詞，基本上都有比較固定的寫法，在詞的同音現象十分普遍的情況下，人們卻完全可以從書面形式上把同音詞清楚地分辨開來。例如，「上調」和「上弔」，「貴陽」和「桂陽」，儘管從語音上聽起來是一樣的，但書面上卻是一點也不會混淆。

不過，這祇是就一般情況說的。其實，在人們使用漢字記錄漢語的實踐中，也有因無法考慮或者不曾考慮字的本義，而祇是單純利用字的讀音來標記詞的時候。由於漢字同音的很多，這樣祇記詞音的結果，必然要導致同一個詞出現不祇一種的書面形式，由此而產生異文。

古書中由於但記詞音而產生異文的，主要表現爲下面兩種情況：

第一是連綿詞、象聲詞、譯音詞可有多種寫法。

連綿詞是指由兩個音節聯綴成義而不能分割的詞。構成連綿詞的兩個音節中的任何一個音節，並不單獨表示任何意義，祇有當它同另一個音節聯綴起來之後，纔共同獲得了某種意義而成爲一個單純詞。連綿詞的這個特點，決定了人們在記錄它的時候，根本無法從義的方面確定應該採用哪兩個漢字爲符號，而祇能單純從音的角度去考慮。

至於象聲詞和譯音詞，它們本來就是依聲成詞的，更是誰也說不出究竟什麼字纔是記錄它們的本字，自然也祇能單純從音的方面考慮了。

由於單純從詞音著眼，加上因時、因地、因人而語音有所差別，這就使得連綿詞、象聲詞、譯音詞的書面形式理所當然

地出現異文現象了。例如：

(1)「逶迤」亦寫作「委蛇」：「韓詩‧召南‧羔羊》：
「退食自公，逶迤逶迤。」⑰《毛詩》末句作「委蛇委
蛇」。

亦寫作「委移」：《楚辭‧離騷》：「載雲旗之委
蛇」，王逸《注》：「蛇，一作『移』。一作『逶迤』。」

亦寫作「委它」：《後漢書‧儒林列傳序》：「服方領
習矩步者，委它乎其中。」

亦寫作「委佗」：《後漢書‧任李萬邳劉耿列傳贊》：
「委佗還旅，二守焉依。」

亦寫作「蝼蛇」：《文選‧張平子〈西京賦〉》：「聲清
暢而蝼蛇。」

又寫作「倭遲」、「倭夷」、「威遲」或「威夷」：
《毛詩‧小雅‧四牡》：「周道倭遲」。《釋文》云：
「《韓詩》作『倭夷』。」又，《文選‧顏延年〈秋胡詩〉》
「驅車出郊郭，行路正威遲。」李善《注》：「《韓詩》
曰：『周道威夷』，其義同。」

今按：逶迤、委蛇、委移、委它、委佗、蝼蛇、倭
遲、倭夷、威遲、威夷並屬同一連綿詞之不同寫法。上一字
逶、委、蝼、倭、威上古皆為平聲影紐微韻字⑱，乃屬於同音

字。下一字迤、蛇、移於上古屬平聲歌部喻母字，它、佗屬平聲歌部透母字，遲（遲）屬平聲脂部定母字，夷屬平聲脂部喻母字：歌、脂兩部臨近，喻、透、定三母上古發音部位相同，因而亦皆爲音同或音近字。

(2)《詩・小雅・采芑》：「八鸞瑲瑲」。《釋文》云：「瑲，本亦作『鎗』。」

《大雅・烝民》：「八鸞鏘鏘」。

《商頌・烈祖》：「八鸞鶬鶬」。

《小雅・庭燎》：「鸞聲將將」。

今按：瑲瑲、鎗鎗、鏘鏘、鶬鶬、將將並屬同一象聲詞之不同寫法。瑲、鎗、鏘、鶬、將上古同屬陽部平聲字；瑲、鎗、鏘、鶬讀清母，將讀精母，發音部位相同：瑲瑲、鎗鎗、鏘鏘、鶬鶬同音，與「將將」音亦極爲接近。

(3)「印度」是梵語 India 的譯音詞，原亦譯作「天竺」、「天篤」、「天督」、「天毒」、「身毒」、「賢豆」等等。

唐釋道宣《續高僧傳》卷二《闍那崛多》云：

賢豆，本音「因陀羅婆陀那」……「賢豆」之音，彼國之訛略耳。身毒、天竺，此方之訛稱也。而彼國人總言「賢豆」而已。

這是說，「印度」本音「因陀羅婆陀那」，印度人省稱讀爲

「賢豆」。至於讀爲「身毒」、「天竺」，則屬漢譯之音譌。
而玄奘《大唐西域記》卷二《濫波國》則曰：

> 詳夫天竺之稱，異議糾紛。舊云「身毒」，或曰「賢
> 豆」；今從正音，宜云「印度」。

又以譯「印度」者爲正音。可是遼釋希麟《續一切經音義三·
新譯十地經一》卻又說：

> 天竺，相承音「竹」，準梵聲合音「篤」。古云「身
> 毒」，或云「賢豆」，新云「印度」，皆訛轉也。⑲

則是說「印度」依梵語還是當譯作「天篤」爲準了。

　　今按：每種語言的語音，本來都有自身的特點，譯音
詞也祇能求其音近罷了，再說不同時、地之譯者，其音感往往
也會有所不同，故有如此種種說法及寫法。⑳
　　第二是通假字的使用。
　　古人在書寫過程中，往往有寫同音別字的情況。究其原
因，或者因爲書寫的人本來並不知道或者一時間忘記了某個字
的寫法，祇好臨時取用一個同音（或音近）字來代替；或者因
爲書寫的人本來就錯誤地以爲某字當是這樣寫法，因而不自覺
地寫了同音別字；或者因爲書寫者雖然也知道某字的正規寫
法，但是爲了貪便圖快及其他別的緣故，還是改用了另外一個
音同、音近字。以上三種情況下寫出來的同音別字，習慣上稱
爲通假字。
　　通假字與連綿詞、象聲詞、譯音詞的書面符號一樣，單純

記音，靠音表詞（通假字亦記詞素），字義與詞義之間則沒有必然的聯繫，不同之處僅僅在於：前者有本字可考，而後者則無本字可言。因此，無論書寫者是自覺地還是不自覺地使用了通假字，客觀上都反映了但記詞音的事實。

古書中由於使用本字與使用通假字之不同，或者由於分別使用了不同的通假字而形成異文的例子很多，今舉其例於下：

(1)《詩·大雅·江漢》：「肇敏戎公，用錫爾祉。」
　　《後漢書·宋漢傳》引《詩》，「公」作「功」。

(2)《呂氏春秋·務本篇》：「俗主之佐，其欲名實也，與三王之佐同；而其名無不辱者，其實無不危者，無公故也。」
　　同書《務大篇》有同樣的一段話，而「公」作「功」。

今按：上二例，前一例「公」借爲「功」，「肇敏戎功」猶言長勉爾事[21]；後一例「功」借爲「公」，「無公」者，無公心也。「公」「功」同音。

(3)《不嬰簋蓋》銘文：「不嬰拜頜手」[22]。
　　《南季鼎》銘文：「南季拜頜首」[23]。

(4)《顏氏家訓·風操篇》：「北間風俗，不屑此事，歧路言離，歡笑分首。」
　　《類說》引，「分首」作「分手」。

今按：上二例，前一例「手」借爲「首」，「頜首」

後世一般寫作「稽首」；後一例「首」借爲「手」，「古人將別，則相執手，以見不忍相遠之意」㉔，今人猶如此。「首」「手」亦同音。

(5)《逸周書·官人解》：「有施而□弗德。」

《大戴禮記·文王官人篇》作「有施而不置。」

今按：「不置」、「弗德」都是不以爲有恩德的意思。「置」、「德」並爲「悳」之借字。《說文·网部》：「置，赦也。从网、直。」徐鍇《繫傳》：「從直與罷同意」。《說文·彳部》：「德，升也。从彳，悳聲。」《說文·心部》：「悳，外得於人，內得於己也。从直，从心。」然則恩德之「德」字本當作「悳」。後世以「德」代「悳」，「德」行而「悳」廢。作「置」者，則但一時之借用耳。「德」「置」「悳」三字上古同音（皆讀職韻、端母、入聲）。

(6)《史記·五帝本紀》：「眚烖過，赦；怙終賊，刑。」

徐廣曰：「（終，）一作『眾』。」

今按：《集解》引鄭玄曰：「怙其姦邪，終身以爲殘賊，則用刑之。」則「眾」、「終」字於此取「始終」之義。然始終之「終」字本作「冬」，作「眾」、作「終」者，皆其假借字也。《說文·仌部》：「冬，四時盡也。从仌，从夂。」《說文·糸部》：「終，絿絲也。从糸，冬聲。」段玉裁《注》曰：「《廣韻》云：『終，極也，窮也，竟也。』其義皆當作『冬』。冬者，四時盡也，故其引申之義如此。俗分別『冬』爲四時盡，『終』爲極也、窮也、竟也，乃使『冬』失其引申之義，

『終』失其本義矣。」「終」長借爲始冬之「冬」而不還，久則
習非成是矣。作「衆」者，亦但一時之假借耳。「終」從冬得
聲。「終」「衆」上古爲同音字（並屬冬韻、章母、平聲）。

六、方言差別

方言差別，也是造成異文的一個重要原因。舉例如下：

(1)《左氏春秋經・昭公元年》：「晉荀吳帥師敗狄于大
　　鹵。」
　　公羊、穀梁《春秋》「大鹵」並作「大原」。
　　《左傳》亦作「大原」，杜預《注》：「即大鹵也。」

《公羊傳》云：

　　此大鹵也。曷爲謂之大原？地物從中國，邑、人名從主
　　人。

《穀梁傳》亦云：

　　中國曰大原，夷狄曰大鹵，號從中國，名從主人。

(2)《漢書・伍被傳》：「即使辯士隨而說之」。
　　《史記・淮南衡山列傳》載同語，「士」字作「武」。

《史記集解》引徐廣曰：

淮南人名「士」曰「武」。

(3)《史記・孝武本紀》：「於是天子遂東，始立后土祠汾
　　陰脽上。」

　　《漢書・武帝紀》亦云：「十一月甲子，立后土祠于汾
　　陰脽上。」

　　《漢舊儀》「脽上」作「葵上」。㉕

《漢書》師古《注》引一說曰：

　　地本名鄈，音與葵同。彼鄉人呼「葵」，音如「誰」，
　　故轉而為「脽」字耳。

(4)《史記・夏本紀》：「道荷澤，被明都。」又：「原隰
　　底績，至于都野。」

　　《漢書・地理志上》「都」並作「豬」。

　　今按：作「豬」者方言。《禮記・檀弓下》：「殺其
人，壞其室，洿其宮而豬焉。」鄭玄《注》云：「豬，都也。南
方謂都為豬。」

(5)《戰國策・齊策四》：「士三食不得饜，而君鵝鶩有餘
　　食。」

　　《韓詩外傳》卷七第十八章及《說苑・尊賢篇》則作「而
　　君雁（鴈）鶩有餘粟」。

　　今按：《方言》卷八曰：「鴈，自關而東謂之鴚鵝，南

楚之外謂之鵝」。是揚雄時代鵝鴨之鵝通語稱「鴈」；稱「鵝」者，方言耳。今則「鵝」成通語，而「鴈」專用爲「鴻鴈」字矣。

以上都是古書中因方言差別導致異文的例子，說得更具體一點，那就是因爲所用方言詞（通語也可以看作一種在較大地域使用的方言）不同而造成異文的例子。至於其中作爲異文存在的方言詞之間的關係，實際上包括下面兩種情況：其一是因命意不同而一事異號；再一是因方音差別而同詞異音。

前者如上面例(1)的「大原」之與「大鹵」，例(2)的「士」之與「武」即是。

大原與大鹵同地而異名。稱大原者，以其地勢之高平也。《尚書·禹貢》：「既修太原」，《傳》云：「高平曰太原。」（大、太古通用）稱大鹵者，以其地質之性鹹也。《說文·鹵部》曰：「鹵，西方鹹地也。」于逢春先生以爲《左傳·昭公元年》所載之大原，即在晉中或稍北，「其地海拔在千米以上，然一馬平川，縱橫無涯，正與『太原』一詞本義合拍。」㉖筆者也認爲：晉，南有解池，北有鹵城，其地質鹹可知，且《史記·貨殖列傳》亦曰：「山東食海鹽，山西食鹽鹵。」合而觀之，益證大鹵得名當與地質性鹹有關。

「士」之與「武」，亦同此類。「士者事也，言能理庶事也。」㉗引申而爲男子之通稱，故《詩·大雅·棫樸》疏曰：「士者男子之大號。」「武」者男子之美德，《廣雅·釋詁二》曰：「武，健也。」又曰：「武，勇也。」《逸周書·諡法解》云：「剛彊理直曰武。」因而「武」也成爲男子的代稱。「武」、「士」分別於方言、通語中同指男子則一，而取名立意則異也。

後者如上面例(3)的「雎」之與「葵」（「鄈」之借字），

例(4)的「豬」之與「都」，例(5)的「鵝」之與「鴈」並是。

這些詞實際上兩兩同源，之所以書面符號如此不同，乃是因爲它們在不同方言中語音形式發生了變異，因而人們也就以讀音不同的字爲符號，記下這種語言事實來。最爲突出的例子是，其中作爲通語對立面的方言詞書面符號「脽」「豬」二字，從字面上絲毫也看不出它們與其所記的詞有任何關係，顯然是因爲它們的字音與所要記錄的方音或同或近，而臨時被借用爲書面符號的。這與作爲通語詞記錄符號的「郲」、「都」二字形成鮮明的對比。「郲」、「都」二字於六書中並屬於形聲字，從阝（邑）正與地名相吻合。

總的說來，屬於前一種情況的方言詞之間的關係，與屬於後一種情況的方言詞之間的關係，其性質是不大相同的。前者表現爲一事異號，於語音上則沒有必然的聯繫，如「（大）原」之與「（大）鹵」，「士」之與「武」，聲韻皆相去甚遠。後者表現爲同詞音變，因而彼此間在語音上往往是既有差別，又有聯繫的，如上面例子中：鵝與鴈，聲同韻近；豬與都，聲韻全同；脽與郲，亦韻部相鄰（有旁轉關係）。

七、避諱改省

一個人言談書寫，不能無所忌諱，古今皆然，而古尤甚。封建時代，爲了維護等級尊嚴，就連與君父尊親之名相同之音和字，也不能直接說出或寫出。

古籍中因避諱改省文字，遂造成異文者，亦非罕見。其例如下：

(1)宋晁說之《嵩山文集》卷三《負薪對》，舊鈔本：「彼金

賊雖非人類」，《四庫全書》本改為：「彼金人雖甚強
盛」。

又，舊鈔本：「忍棄上皇之子于胡虜乎？」《四庫》本
改為：「忍棄上皇之子于異地乎？」㉘

　　今按：金人乃滿人之祖先，胡虜爲古代漢人對異族之
蔑稱，四庫館臣唯恐觸犯清統治者，故不得不作此般改易。

(2)《說苑・貴德篇》云：「故天子好利則諸侯貪；諸侯貪
　　則大夫鄙；大夫鄙則庶人盜。」
　　《公羊傳・桓公十五年》何休《注》云：「王者……不當
　　求。求則諸侯貪，大夫鄙，士庶盜竊。」
　　《鹽鐵論・本議篇》則曰：「《傳》曰：諸侯好利則大夫
　　鄙，大夫鄙則士貪，士貪則庶人盜。」

　　今按：楊樹達先生云：「諸書皆本《春秋》家說，同出
一源。然《說苑》舉天子，《何注》舉王者，《鹽鐵論》但舉諸侯以
下，不及天子者，以鹽鐵正是天子好利之事，故文學避而不言
耳。」㉙其說甚是。

(3)《左氏春秋・隱公元年》：「公及邾儀父盟于蔑。」
　　《竹書紀年》卷下作：「魯隱公及邾莊公盟于姑蔑。」

　　惠棟《左傳補注》卷一以爲：「蔑本姑蔑……隱公名息姑，
而當時史官爲之諱」。

(4)《新唐書・肅宗紀》上元元年：「四月戊申，山南東道

將張維瑾反」。

顏真卿書元結墓碑，「張維瑾」但作「張瑾」。

今按：此則顏氏避父諱維貞，因而省「維」字也。㉚

(5)《史記》、《漢書》中有「蒯通」其人，《資治通鑑》則作「蒯徹」。

今按：《漢書‧蒯通傳》曰：「蒯通，范陽人也。本與武帝同諱。」顏師古注曰：「本名爲徹，其後史家追書爲『通』。」是《通鑑》作「蒯徹」者方爲眞名，《史》、《漢》作「蒯通」者，避漢武帝劉徹諱而竄改也。

(6)《老子》二章：「長短相形，高下相傾」。

《淮南子‧齊俗訓》則云：「故高下之相傾也，短脩之相形也，亦明矣。」

今按：高誘《淮南子敍》云：「以父諱長，故其所著，諸『長』字皆曰『脩』。」是此處變「長短」爲「短脩」者，避家諱也。

(7)《後漢書‧鄭太傳》：「鄭太字公業」。

《三國志‧魏書‧鄭渾傳》裴松之《注》引張璠《漢紀》作：「（鄭）泰字公業。」

今按：范曄《後漢書》之「鄭太」，即張璠《漢紀》之「鄭泰」。曄父名泰，故改「泰」爲「太」。又，《後漢書》卷

六八有《郭太傳》，本名也是「泰」字，因范氏避家諱改。

　　(8)《漢書·佞幸傳》：「趙談者，以星氣幸。」
　　　《史記·佞幸列傳》作：「而趙同以星氣幸。」

司馬貞《索隱》曰：

　　《漢書》作「趙談」，此云「同」者，避太史公父名也。

　　(9)《詩·邶風·雄雉》：「雄雉于飛，泄泄其羽。」
　　　《魏風·十畝之間》：「十畝之外兮，桑者泄泄兮。」
　　　《大雅·民勞》：「惠此中國，俾民憂泄。」
　　　《大雅·板》：「天之方蹶，無然泄泄。」
　　　唐石經諸「泄」字並作「洩」㉛。

　　　又，《毛詩·衛風·氓》：「氓之蚩蚩」，前序：
　　　「《氓》，刺時也」，後跋：「《氓》六章」。
　　　唐石經諸「氓」字並作「甿」㉜。

　　　今按：石經之改文，避唐太宗李世民諱故也。
「泄」之作「洩」，避「世」旁也；「氓」之作「甿」，避
「民」旁也。㉝
　　以上並為因避諱改省而造成異文的例子。而細細分辨起
來，又可以分為兩個大類：一是諱事之改省，二是諱名之改
省。
　　■所謂諱事之改省，事為當權、人、己所忌，改省其文以
免不快也，例(1)、例(2)屬於此類。

■所謂諱名之改省，字與君、父、尊、親名同，改省其字以避冒犯也，例(3)至例(9)並屬此類。

諱事之改省往往導致內容上、情感上與原文很不相同。此種異文，於文史哲研究上當有益處，而於語言學科之研究則用處一般不大。

諱名之改省又有省字諱與易字諱之不同。

省字者，例(3)、例(4)即是。此種異文，除避諱學研究外，尚可用於書籍作者、鈔者、刊刻者，及其年代之考證。

至於諱名易字形成之異文，除了具有省字者同樣作用之外，於音韻、訓詁研究也有價值。所以然者，此種異文字與字間每有音義關係——或則音同音近，如例(7)「太」、「泰」音同，例(8)「同」、「談」音近；㉞或則後世通用，如例(9)「泄」、「洩」通用，「氓」、「甿」通用；㉟而更多的情況則是兩字意義相同（顏之推說：「凡避諱者，皆須得其同訓以代換之」㊱，正道出了這類異文之間的關係），如例(5)之「通」與「徹」，例(6)之「脩」與「長」，並皆同義——而只要異文存在著這種音義關係，即有了據以進行音韻研究、詞義訓釋之可能（詳見本書下篇第一章）。

八、輾轉譌誤

古書在長期流傳過程中，或散亂，或破損，或字跡模糊，更經多次轉抄翻刻，往往失去本來面目，而與原書文異。

此種因輾轉譌誤而成的異文，按其譌誤結果又可分爲脫、衍、倒、譌四種情況。今逐一說明並舉例如下：

㈠脫文

　　所謂脫文，指的是古籍在抄錄、刊刻過程中因爲疏忽而脫漏文字或者脫漏了的文字。

　　在古籍異文中，由於一方存在脫文（或者雙方互有脫文）而形成者，時可見到。其例如：

　　　(1)《漢書·食貨志上》：「農民戶人已受田，其家眾男爲餘夫，亦以口受田如比。」
　　　《〈周禮·地官·載師〉注》及《疏》引此，「農民戶人」並作「農民戶一人」。

　　　今按：「一」字當有，今本《漢書》脫「一」字，則文義不明。㊲

　　　(2)《大戴禮記·曾子制言中》：「昔者，舜匹夫也，土地之厚，則得而有之；人徒之眾，則得而使之：舜唯以得之也。」
　　　《永樂大典》本末句作「舜唯仁得之也。」

　　王念孫以爲今本《大戴記》脫「仁」字，《永樂大典》脫「以」字。曰：「當作『舜唯以仁得之也』。」㊳

㈡衍文

　　所謂衍文，指的是古籍在抄錄、刊刻過程中因爲疏忽而誤添文字或者誤添了的文字。

　　在古籍異文中，由於一方存在衍文（或者雙方互有衍文）

而形成者，也非絕無僅有。其例如：

(3)《晏子春秋‧內篇諫上》：「景公將觀于淄上，與晏子間立。」

《羣書治要》及《太平御覽‧人事部六十九》並無「將」字。

今按 ：無「將」字是，今本《晏子》衍一「將」字，遂使時間與文義不合。㊴

(4)《商君書‧墾令》：「姦民無主，則為姦不勉；為姦不勉，則姦民無樸；姦民無樸，則農民不敗。」㊵

鄭家本於「姦民無樸」句下有「樸，根株也」四字。

今按 ：這四字實際是舊注誤入正文造成之衍文。㊶

㈢倒文

所謂倒文，指的是古籍在抄錄、刊刻過程中，因為疏忽誤將文字前後顛倒，或者誤倒了的文字。

在古籍異文中，由於一方存在倒文（或者雙方互有倒文）而形成者，也不少見。其例如：

(5)《左傳‧成公十三年》：「蔑死我君，寡我襄公。」

《釋文》云：「本或以『我』字在『死』上。」

今按 ：《釋文》所云或本為是。「死君」指過世之文公也，「蔑我死君」與「寡我襄公」句法一致。今本《左傳》

「我」「死」二字誤倒。㊷

    (6)《管子・形勢解》：「使人有禮，遇人有理。」

    《羣書治要》則作：「使人有理，遇人有禮。」

    今按 ：《羣書治要》是。今本《管子》「理」「禮」二字誤倒。㊸

㈣譌文

    所謂譌文，指的是古籍在抄錄、刊刻過程中，因爲疏忽誤將文字抄錯、刻錯，或者抄錯、刻錯了的文字。

    譌文根據致譌原因又可分爲形譌、音譌兩個小類。形譌者，因字形相似而誤者也；音譌者，因字音同、近而誤者也。

    在古籍異文中，由於一方存在譌文（或者雙方互爲譌文）而形成者，其多不勝枚舉，今僅分別從形譌、音譌兩個方面各擇兩例以說明之：

    1）、形譌例

    (7)《孫子・地形篇》：「故進不求名，退不避罪，唯民是保，而利合於主，國之寶也。」

    《淮南子・兵略訓》末句作「國之實也」。

「實」乃「寶」字形譌。㊹

    (8)《漢書・匈奴傳下》：「日逐、呼韓邪攜國歸死，扶伏稱臣。」

    《前漢紀・孝哀帝紀》、《通典・邊防十一》「歸死」並

作「歸化」。

「死」亦「化」字形譌。⑮

2)、音譌例

(9)《漢書・項籍傳》：「今日固決死，願為諸軍快戰。」
《史記・項羽本紀》載之，「軍」字作「君」。

王念孫以爲作「君」字是，曰：「羽此時但有二十八騎，
不得言諸軍也。」⑯

今按：「君」作「軍」者，乃音譌也。

⑽《左傳・昭公九年》：「膳宰屠蒯趨入」。
《禮記・檀弓下》作：「杜蕢自外來」。

裴學海先生曰：「杜蕢即屠蒯也。蒯爲膳宰，故稱之爲屠
蒯。」⑰

今按：「杜蕢」亦當爲「屠蒯」音譌。

這裡順帶說明一下通假字與音譌字的關係問題。筆者以
爲：通假字與音譌字說到底都是寫了同音（或音近）別字，不
同的是：寫通假字的人雖說也寫了別字，但他對於筆下要記錄
的是哪個詞（或詞素），心中必定是清楚的，他乃是有意或無
意地借用了同音別字來記錄他所要記錄的詞（或詞素）。而寫
音譌字的人，卻完全是在不知不覺之中抄寫了同音別字，並又
糊裡糊塗地將譌字當成本字，按照譌字的字義去理解原文。通
假和音譌乃是同音別字在使用過程中所可能出現的兩種情況，

因爲它們都可以導致異文，故此分別論述於上。㊽

九、修辭變化

古人著述，每喜借用前人文句，有時出於修辭需要而稍加變化，遂與原文有異。其例如下：

(1)《漢書・翟方進傳》：「兄宣，靜言令色，外巧內嫉」。

楊樹達先生云：

此用《論語》「巧言令色」之文，變「巧」言「靜」者，以避下文「巧」字故耳。㊾

今按：「靜言」與「巧言」同義㊿，皆謂巧飾之言。

(2)《列子・湯問篇》：「匏巴鼓琴而鳥舞魚躍。」
《荀子・勸學篇》：「昔者，瓠巴鼓瑟而流魚出聽；伯牙鼓琴而六馬仰秣。」

梁玉繩《瞥記》卷五云：

《列子》「瓠巴鼓琴」，《荀（子）》作「鼓瑟」，蓋因下有「伯牙鼓琴」，改為瑟也。」(51)

以上二例之變文，其意並在避複。

(3)《漢書‧張良傳》稱述雒陽：「背河鄉雒」。

　　《文選‧張平子〈東京賦〉》：「審曲面勢，沂洛背河。
　　左伊右瀍，西阻九阿。」薛綜《注》：「沂，向也。」

　　今按：《東京賦》「沂洛背河」，實是套用《漢書‧張良
傳》「背河鄉雒」之語。所以不依原語序者，此乃韻文，末一
字恰當韻腳，為與下「阿」字相協，不得不如此倒置也。
「河」「阿」同屬歌韻，而「雒」屬鐸韻，韻腳作「雒」則韻
不協。

(4)何晏《九州論》云：「清河縑〔總〕，房〔子好〕綿。」⑤2
　　《文選‧左太沖〈魏都賦〉》：「錦繡襄邑，羅綺朝歌。
　　縣纊房子，總綢清河。」

　　今按：《魏都賦》「縣纊」二句同樣套用何晏《九州論》
文，其所以倒置詞序，也無非是為了與上「歌」字相協。
　　上二例之倒文，其意並在押韻。

(5)《莊子‧至樂篇》云：「俄而柳生其左肘」。
　　王維《老將行》：「今日垂楊生左肘」。⑤3

楊樹達先生云：

　　變「柳」為「楊」，以叶音也。⑤4

(6)《左傳‧僖公二十四年》：「竊人之財，猶謂之盜，況
　　貪天之功以為己力乎？」

沈約《修竹彈甘蕉文》：「每叨天功以為己力。」⑮

楊樹達先生以為：沈文變「貪」為「叨」，意在避熟。⑯
今按：《說文・食部》：「饕，貪也」，或體作「叨」。是
「貪」「叨」同義。

(7)《周易・繫辭上》：「書不盡言，言不盡意。」
陳後主《與詹事江總書》則云：「言不寫意。」⑰

今按：「言不寫意」與「言不盡意」同義，此亦變化
以求其新。⑱

(8)《晏子春秋・內篇雜下》：「嬰聞之：聖人千慮，必有
一失；愚人千慮，必有一得。」
《漢書・韓信傳》廣武君語乃曰：「臣聞：智者千慮，
必有一失；愚者千慮，亦有一得。」

今按：楊樹達先生以為，《漢書》之所以改「必有一
得」作「亦有一得」，「蓋表廣武君謙遜語氣耳」。⑲指出此
之變文，意在鳴謙，可謂得之。

以上分別從九個方面列舉了異文產生的原因。當然，這祇
是造成古籍異文的一些比較主要的原因，既沒有也不可能囊括
異文產生的所有原因。筆者於此但作拋磚引玉，讀者當可觸類
旁通，舉一反三。

注　釋

①分別見隱公元年、桓公二年與哀公十四年。

②社鼠：託身於社廟（帝王、諸侯祭土神之處所）的老鼠，比喻仗勢作惡之人。古代社廟之牆用木頭編排而成，外面再塗以泥土，因此常有老鼠鑽進裡面做窩。

③一般認爲，《晏子春秋》並非晏嬰所撰，而是後人搜集而成，如吳則虞先生說：它的成書年代「大約應當在秦政統一六國後的一段時間之內。……極有可能就是淳于越之類的齊人，在秦國編寫的。」（見《晏子春秋集釋・序言》）因此，《晏子春秋》所記晏子言行，也同樣存在著傳聞的問題。

④《經典釋文序錄疏證》。

⑤見《讀書雜志・荀子第一》。

⑥其實今人文中也有省句之例，如說：「快走，就要遲到了！」意思是：快走，如果不快走的話，就要遲到了。

⑦見《經義述聞》卷十一。

⑧中華書局上海編輯所 1965 年版《藝文類聚》亦作「左側」，中華書局 1960 年版《太平御覽》則作「之側」。

⑨《讀書雜誌・漢書第十一》。

⑩《臨川先生文集》卷二十《與微之同賦梅花得香字三首》之三詩句。

⑪《楚辭・九歌・湘君》中的句子。

⑫古今字實際上也是一種異體字。當兩個字所代表的並不是同一個詞的時候，是根本談不上甚麼古今字的，祇有當兩個字被當作同一個詞的不同書寫符號使用的時候，它們纔有可能存在古今字的關係。例如：表示「責備」的「責」

和表示「負債」的「債」，無論如何也不會有人把它們看成古今字的。祇有當「責」字作為表示「債務」這一概念的詞的書面形式使用的時候，「責」「債」之間的古今字關係纔能成立。實際上，這種情況下的「責」、「債」，乃是作為同一個詞（「責」字此時讀 zhài 不讀 zé）的不同書寫形式存在的，也就是說，它們乃是一字之異體，是使用於不同時期的異體字。

⑬「叔粟」舊本作「升粟」，王念孫以為「升」乃草書「叔」字之誤（見《讀書雜志·墨子第三》），其說甚是，孫氏《墨子閒詁》已據改正。

⑭見《十三經注疏·周易正義》卷三附阮元《校勘記》。

⑮⑯並見《經典釋文》。

⑰據《經典釋文·毛詩音義上》。

⑱本書凡談及各字上古音讀，均以唐作藩先生《上古音手冊》為主要依據。以下不另出注。

⑲轉引自《辭源》（修訂本）〔天竺〕條註。

⑳以上說連綿詞、象聲詞、譯音詞可有多種寫法，是從理論上以及古漢語語文事實說的。今天我們搞漢字規範化，用字的規範是其中的一個重要內容，因而，除了引用前人著作以及敍述史實之外，一個詞就不宜還有太多的寫法。如，「逶迤」一般不再寫作「委移」、「委它」、「倭遲」、「威夷」等等；「印度」一般也不寫成「天篤」、「身毒」、「賢豆」等等。

㉑《詩·大雅·江漢》釋文云：「（肇，）《韓詩》云：長也。」《禮記·中庸》「人道敏政，地道敏樹。」注：「敏猶勉也。」《詩·大雅·江漢》鄭箋》：「戎猶女也。」「女」即「爾」，第二人稱代詞。又，《詩·豳風·七月》

「載纘武功」，《大雅・崧高》「世執其功」，《毛傳》並曰：「功，事也。」

㉒見《商周青銅器銘文選》第三卷第三一〇頁。

㉓見上書同卷第一九一頁。

㉔朱熹《楚辭集注・九歌・河伯注》。

㉕據《漢書・武帝紀》該句顏師古注。

㉖見《太原考》。

㉗《左傳・昭公七年》「大夫臣士」孔《疏》。

㉘見《四部叢刊續編》本《嵩山文集》卷末附張元濟撰《〈負薪對〉校勘表》。

㉙《漢文文言修辭學》第五章。

㉚說本陳垣《史諱舉例》卷二。

㉛㉜見《唐開成石經・毛詩》。

㉝說本陳垣《史諱舉例》卷二。

㉞不過，此類異文隨著後世避諱漸苛而少見。盡管《禮》有明言：「禮不諱嫌名」（見《禮記・曲禮上》），但自魏晉以後，則與諱名音近諸字亦多在避之列。唐李賀父名晉肅，當時士大夫以爲晉、進音同，李賀不該舉進士（見《昌黎先生集》卷十二《諱辯》），便是其例。

㉟避諱改易偏旁爲因，兩字通用爲果。《說文》有「泄」而無「洩」，「洩」字可能是避諱之產物。又，《說文・民部》：「㟹，民也。从民，亡聲。」《田部》：「甿，田民也。从田，亡聲。」「㟹」「甿」音同而且義近，唐人爲了避諱，乾脆就以「甿」字易「㟹」。

㊱《顏氏家訓・風操篇》。

㊲說本王念孫《讀書雜志・漢書第四》。

㊳見《經義述聞》卷十一。

㊴參見王念孫《讀書雜志・晏子春秋第一》。

㊵此據俞樾所見本。他本文字與此或有出入。

㊶說本俞樾《古書疑義舉例》卷五「涉注文而衍例」。

㊷惠棟《春秋左傳補注》、武億《左傳義證》並主此說（見楊伯峻《春秋左傳注》）。

㊸說本王念孫《讀書雜志・管子第十》。

㊹說本《讀書雜志・淮南內篇第十五》。

㊺說本《讀書雜志・漢書第十四》。

㊻《讀書雜志・漢書第八》。

㊼見《評高郵王氏四種》。

㊽實際上，對於一個個具體的例子，要指出它們是通假還是音譌，是一件極不容易的事。因爲我們已經無法了解前人書寫該字時候的思想情況。不過這也沒有多大關係，因爲它無論是通假也好，還是音譌也好，特點都是與本字或正字音同或者音近，因而在訓詁及音韻研究上的使用價值也都是一樣的。

㊾《古書疑義舉例續補》卷一之八「避重複而變文例」。

㊿說見王念孫《讀書雜志・漢書第十三》。

(51)轉引自楊樹達《漢文文言修辭學》第五章。

(52)轉引自《太平御覽》卷八一八。方括號中文字於《御覽》爲闕文，此據《魏都賦》補。

(53)《王右丞集箋注》卷六。

(54)《漢文文言修辭學》第四章。

(55)《沈隱侯集》卷一。

(56)《漢文文言修辭學》第五章。

(57)《陳後主集》。

(58)(59)並見楊樹達《漢文文言修辭學》第五章。

第三章 異文的主要表現形式

　　異文的根本特點就在於構成異文的材料之間存在著種種差異。將這種種差異加以分析歸納，使之系統化，便產生了異文的表現形式。同一異文材料之間的差異，可以從不同的角度進行考察；不同角度考察的結果，則是與之相應的不同表現形式之產生。

　　下面分別從句子及字詞兩個角度討論異文的表現形式。

一、從句子的角度看異文的表現形式

　　從句子的角度考察異文，大致上可以歸納為下面三種表現形式：

　　㈠句意相同，句式不同。如：

　　⑴《文選‧司馬子長〈報任少卿書〉》：「是以獨鬱悒而與誰語？」
　　《漢書‧司馬遷傳》作：「是以抑鬱而無誰語。」

　　兩者句意相同，但《漢書》後面用的是否定句式，《文選》後面用的是疑問句式。

　　⑵《晏子春秋‧內篇諫上》載：齊大旱，景公欲祠靈山，

晏子諫曰：「祠之無益。」

《藝文類聚·山部上》及《災異部》，《太平御覽》卷十一、卷三八、卷八七九引此，並作「祠之何益？」

兩者句意相同，而前用否定句式，後用反問句式。

(3)《列子·仲尼篇》：「聖則丘何敢？」

《孟子·公孫丑上》則謂：「聖則吾不能。」

此亦句意相同，而前用反詰問句，後用否定句。

(4)《史記·楚世家》載陳軫語：「伐秦非計也。不如因賂之一名都，與之伐齊，是我亡於秦，取償於齊也，吾國尚可全。」

《戰國策·秦策二》末句作「楚國不尚全乎？」①

此則句意相同，而前用肯定句式，後用反問句式了。

(二)句意句式相同，遣詞用字不同。如：

(1)《史記·龜策列傳》：「著百莖共一根。」

《春秋繁露·奉本篇》：「其猶著百莖而共一本」。

「根」、「本」同義。

(2)《顏氏家訓·文章篇》：「既有寒木，又發春華，何如也？」

《太平御覽》卷五九九引《三國典略》，「華」作

「榮」。

「華」、「榮」義同。

　　(3)《淮南子·泰族訓》:「至治寬裕,故下不相賊。」
　　　《文子·微明篇》作:「至治優游,故下不賊。」

「寬裕」、「優游」亦同意。
　　又,所有因為使用異體字、方言詞的不同,以及因為但記
詞音而造成的異文,也都屬此(例見上章)。
　　凡此之類,或者詞異義同,或者詞同字異,雖然異文,句
意卻無差異,這是一種情況。
　　至於:

　　(4)《逸周書·謚法解》:「仁義所在曰王。」
　　　《史記正義·謚法解》則云:「仁義所往曰王。」

　　就詞而論,「在」義「存在」,「往」義「歸往」,意思
不同。可是就整句言,「仁義所在曰王」與「仁義所往曰王」
的意思卻是一致的,說的都是「王者與仁義同存」這個意思。

　　(5)《荀子·哀公篇》:「獸窮則攫。」
　　　《韓詩外傳》卷二第十二章作:「獸窮則齧。」
　　　《淮南子·齊俗訓》則云:「獸窮則觸。」

　　或言「攫」,或言「齧」,或言「觸」,一則以爪,一則
以牙,一則以角,三詞意思迥異,但從整個句子的含意看,上

面三句的意思則是相通的，都無非表示了「困獸猶鬥」這麼一個意思。

這又是另外一種情況了。

㈢句意不同。

這裡同樣存在兩種情況。

第一種情況是一般的句意不同。如：

> (1)《左傳·宣公十二年》：「晉人或以廣墜不能進，楚人惎之……」
>
> 《說文·攴部·惎》下引《春秋傳》，作：「晉人或以廣墜，楚人惎之。」

今按：據《左傳》杜預《注》：「惎，教也。」而《說文》：「惎，擧也。」則「惎」、「惎」意思不同。由於「惎」、「惎」於文中爲記實之詞，詞義不同，句意亦隨之而異。

這種情況，表面看起來似乎與上面「句意句式相同，遣詞用字不同」中的第二種情況相彷彿，但實際上兩者卻是大有差別的。如前面所引的「獸窮則攫（齧、搴）」，純粹是一種比喻的說法，並非記實，因而句中用「攫」、用「齧」，還是用「搴」，句意並無二致。對於這類異文，從句子內容進行比較，是沒有多少意義的。至於「楚人惎（惎）之」句則不然。因爲此乃記實之文，「惎（惎）」於句中又爲主要動詞，於意義上關係極大。楚人是親自動手（惎）還是只教方法（惎），那「幫忙」的程度是有差別的。對於這類異文，從句子的內容上進行比較，則是有意義的，有時甚至是十分必要的。如：

《左氏春秋經·宣公十三年》：「齊師伐莒。」

《公羊春秋》作：「齊師伐衛。」

　　莒、衛同為春秋諸侯國名，究竟是伐莒還是伐衛，此關係到史實問題，便非有一番考證不可了。趙坦以為：「莒與衛，古音部不通，《公羊》作『衛』，方音之轉。」②毛奇齡曰：「伐莒有前事，伐衛則不知何事，不可考。」③汪克寬則云：「證之《經》文，前後皆無齊、衛交怨之事，而於莒則四年平之不肯而魯伐之，十一年齊又伐之，則此為『伐莒』無疑矣。」④
　　第二種情況是句意截然相對或者相反。如：

(1)《左傳·襄公十四年》：「尹公佗學射於庾公差。」
　《孟子·離婁下》卻曰：「庾公之斯學射於尹公之他。」

(2)《周易·无妄·六二》：「不耕穫，不菑畬，則利有攸往。」
　而《禮記·坊記》引《易》乃曰：「不耕穫，不菑畬，凶。」

(3)《孟子·滕文公上》曰：「殷曰序，周曰庠」。
　《漢書·儒林傳》載公孫弘語，則曰：「殷曰庠，周曰序。」

(4)《淮南子·脩務訓》：「孔子無黔突，墨子無煖席。」
　班固《答賓戲》卻說：「孔席不暖，墨突不黔。」⑤

凡此種種例子，都屬於這一類。其所以不同若是者，當由於傳聞不同或者記憶錯誤使然。

二、從字詞的角度看異文的表現形式

從字詞的角度考察異文，同樣可以歸納爲三種表現形式：

㈠字詞有無之不同

分二種情況：

一種情況是各書本來不同若此者，如：

(1)《左傳·僖公二十五年》：「晉侯朝王，王饗醴，命之宥。」

《國語·晉語四》作：「王饗醴，命公胙侑。」

(2)《漢書·司馬遷傳》：「此言士節不可不厲也。」

《文選·司馬子長〈報任少卿書〉》作：「此言士節不可不勉勵也。」

此二例，或用「宥」（通「侑」），或用「胙（通「酢」）侑」；或用「厲」（通「勵」），或用「勉勵」。《晉語》之「胙」，《文選》之「勉」，分別爲《左傳》、《漢書》所無，但兩兩意思卻無不同，不過一用單音節詞，一用雙音節詞罷了。

(3)《左傳·僖公二十四年》：「身將隱，焉用文之？是求顯也。」

《史記·晉世家》作：「身欲隱，安用文之？文之，是

求顯也。」下「文之」二字為《左傳》所無。

    (4)《左傳・宣公十一年》：「抑人亦有言曰：『牽牛以蹊
      人之田，而奪之牛……』」
    《史記・陳杞世家》作：「鄙語有之：『牽牛徑人田，
      田主奪之牛……』」「田主」二字為《左傳》所無。

    此二例，皆為《左傳》主語省略，而《史記》不省，體現了
《左傳》簡古，《史記》明暢的文章風格。

    (5)《史記・淮陰侯列傳》：「兵法不曰『陷之死地而後
      生，置之亡地而後存』？」
    《漢書・韓信傳》作：「兵法不曰『陷之死地而後生，
      投之亡地而後存』乎？」

    (6)《史記》同篇：「此壯士也。方辱我時，我寧不能殺之
      邪？」
    《漢書・韓信傳》作：「此壯士也。方辱我時，寧不能
      死？」

    此二例，前例《史記》句末不用疑問語氣詞「乎」，後例
《漢書》句末不用疑問語氣詞「邪」，都是純粹依靠語調體現語
氣的反問句。另外，後例《漢書》「寧不能死」句，前頭省略主
語「我」，後頭省略賓語「之」，亦與《史記》異文。
    凡此種種，字詞或有或無，意思原得兩通，當為各書本來
面目。此種異文，任其自然可矣，自無須瑣瑣為之辨訂也。
    還有一種情況，則是因為衍文、脫字而不同若此者。

這種情況下的異文，若不據正訂誤，刪衍補脫，則於存在衍、脫之文，或者失其本意，或者終不可解。這種例子同樣很多，前面《異文產生的主要原因》章「輾轉譌誤」節之例(1)、例(2)、例(3)、例(4)都是，此不贅述。

㈡字詞順序之不同

也存在著原貌與誤倒兩種情形。

凡屬於各書原貌的字詞順序不同，即使意思互有出入，也必定是文通理順的；而在更多的情況下，則是詞序雖說不同，意思原無二致的。如：

> (1)《說文・心部・忼》下引《春秋傳》曰：「忼歲而漱日。」
>
> 《國語・晉語八》則云：「忼日而漱歲」。
>
> (2)《漢書・李廣傳》：「中貴人者將數十騎從。」
>
> 《史記・李將軍列傳》作：「中貴人將騎數十縱。」
>
> (3)《尚書・舜典》：「月正元日，舜格于文祖。」
>
> 薛綜注《東京賦》引，作「正月元日」。⑥

上面這些異文的共同特點，便都是詞序不同，而意思無異。

至於由於誤倒而引起的字詞順序不同，則其文多有義不可通，似是而非，或者不協韻律者。例如：

> (4)《晏子春秋・內篇諫上》：「今據也甘，君亦甘，所謂同也，安得為和！」

《羣書治要》作：「今據也，君甘亦甘……」

《太平御覽》卷四二八引，作：「今據也，君甘則甘
……」

⑸《漢書・酈食其傳》：「為里監門，然吏、縣中賢豪不
敢役。」

《史記・酈生傳》作：「為里監門吏，然縣中賢豪不敢
役。」

上二例，今本《晏子》「據也甘，君亦甘」，今本《史記》
「監門吏」並不可解，當從《羣書治要》、《太平御覽》所引，
《漢書》所云；其由誤倒，自不待言。此所謂義不可通者也。⑦

⑹《漢書・韓信傳》：「願君留意臣之計，必不為二子所
禽矣。」

《史記・淮陰侯列傳》後一分句作：「否，必為二子所
禽矣。」

⑺《漢書・酷吏傳》：「故盜賊寖多，上下相為匿，以避
文法焉。」

《史記・酷吏列傳》作：「上下相為匿，以文辭避法
焉。」

上二例，乍看起來《漢書》似乎也說得通，但是我們如果細
細咀嚼一下，便會覺得不大妥當。

「願君留意臣之計，必不為二子所禽矣」，讀起來總嫌拗
口，其原因就在於它不符合於古漢語習慣。古書中，「矣」作

為語氣詞用，一般表示已然或者必然，而「願」乃希望之詞，意味著未然，故「願」與「矣」不得並存。如「願君留意臣之計，必不為二子所禽」，可通；「君留意臣之計，必不為二子所禽矣」，也可通；⑧但「願君留意臣之計，必不為二子所禽矣」，則不可通。對照《史記》，《漢書》詞序誤倒顯然。當依《史記》改正作：「願君留意臣之計；不（與「否」同），必為二子所禽矣。」如此，則「願君……」自成一句，「不，必……矣」自成一句，「願」、「矣」不致並存而扞格矣。

「上下相為匿，以避文法焉」，單獨一句的確難以看出問題，但若聯繫上文來考察，則其誤自見。上文說的是漢武帝為鎮壓人民起義作「沈命法」，其法曰：「羣盜（指起義者——筆者注）起不發覺，發覺而弗捕滿品者，二千石以下至小吏，主者皆死。」結果，「小吏畏誅，雖有盜弗敢發，恐不能得，坐課累府，府亦使不言。」顯然，這裡「上下」指的是府官、小吏，「法」指的是「沈命法」。府官、小吏畏誅，於是千方百計逃避「沈命法」之制裁（避法），於「文」則何避之有？《史記集解》引徐廣曰：「詐為虛文，言無盜賊也。」可見「文」者乃「避」之手段，並非「避」之對象。《後漢書・杜林傳》李賢《注》引《漢書》，正作「以文避法焉」，益證今本《漢書》其文誤倒。

此所謂似是而非者也。

(8)《禮記・禮運篇》：「未有麻絲，衣其羽皮。」
　《孔子家語・問禮篇》、《太平御覽・服章部六》並作：
　「未有絲麻，衣其羽皮。」

王念孫以為：「（《禮運篇》）『麻絲』當為『絲麻』。『麻』與

『皮』爲韻。自『及其死也』至『是謂大祥』，皆用韻之文，無此二句獨不用韻之理。」⑨其說甚是。此所謂不協韻律者也。

㈢字詞使用之不同

　　字詞使用之不同，乃是異文最爲重要的一種表現形式，也是我們利用異文校勘古籍，進行訓詁、音韻、語法等研究的主要依據。

　　異文中字詞使用不同的情況極其複雜，下面《異文中的字詞對應》一章將給予比較詳細的分析，於此暫不舉例。

注　　釋

①「乎」字本作「事」，高誘《注》：「事，一云『乎』。」吳師道謂「『乎』字是」，今據改。

②③轉引自李富孫《春秋三傳異文釋》卷四。

④轉引自楊伯峻《春秋左傳注》。

⑤見《文選》卷四十五。

⑥見《文選》卷三《東京賦》「於是孟春元日，羣后旁戾」句下注。

⑦參見王念孫《讀書雜志・晏子春秋第一》及白平、王瑾《〈史記〉標點商榷》。

⑧這裡說的可通，是說它符合古漢語習慣。如果從內容說，則上面兩種說法皆與原意相去甚遠。

⑨《經義述聞》卷十五。

第四章　異文中的字詞對應

異文中的字詞對應，是一種普遍存在於異文之間，在異文研究中具有重要意義的現象。

下面分三點進行討論。

一、何謂異文中的字詞對應

有很大一部份異文，彼此間處於相當地位的某些字、詞，往往或於形、或於音、或於義（對實詞說）、或於語法作用（對虛詞說）上存在著某種關係，出現兩兩對應的情況，這就是異文中的字詞對應。例如：

(1)《禮記·月令·季秋之月》：「蟄蟲咸俯在內，皆墐其戶。」

《呂氏春秋·季秋紀》「在內」作「在穴」。

「內」、「穴」對應，兩字形近，「內」乃「穴」字之誤。①

(2)《漢書·司馬遷傳》載遷《報任安書》：「且人不能蚤自財繩墨之外，已稍陵夷……」

《文選》「蚤」作「早」。

「蚤」、「早」對應，兩字音同，「蚤」爲「早」之借字。

(3)《新書・禮篇》：「不用命者，寧丁我網。」
《史記・殷本紀》作：「不用命，乃入吾網。」

「不」與「不」，「用」與「用」，「命」與「命」，「寧」與「乃」，「丁」與「入」，「我」與「吾」，「網」與「網」分別對應。或則同詞，或則同義，或則義近。

(4)《戰國策・秦策二》：「疑臣者不適三人。」
《史記・甘茂傳》作：「疑臣者非特三人。」

「疑」與「疑」，「臣」與「臣」，「者」與「者」，「不」與「非」，「適」與「特」，「三」與「三」，「人」與「人」，分別對應。不是同詞，就是同義。

(5)《左傳・隱公六年》：「我周之東遷，晉鄭焉依。」
《國語・周語中》末句作：「晉鄭是依。」

「晉」與「晉」，「鄭」與「鄭」，「焉」與「是」，「依」與「依」，分別對應。「焉」、「是」並爲結構助詞，用於前置賓語與謂語間，語法作用相同。

(6)《楚辭・天問》：「封豨是射」。
《史記・司馬相如列傳》則云：「射封豕」。

「封」與「封」,「豨」與「豕」,「射」與「射」分別對應。「豨」、「豕」同義。《方言》卷八曰:「豬……關東西或謂之彘,或謂之豕,南楚謂之豨。」本條對應字詞,於句中地位表面看來似不相當,實際上卻是相當的,請看下邊分析便知:

封豨是射　　射封豕

( )〰 ——　　——( )〰

定賓　謂　　謂定賓

當然,我們這裡說異文間處於相當地位的字詞,往往存在著或形、或音、或義、或語法作用上的關係,同時也就意味著上面所說的這種種關係並不是何時何地都絕對存在著的。比如,

(7)《韓詩外傳》卷一第十三章:「喜名者,必多怨。」

《淮南子‧詮言訓》「喜名」作「喜德」。

《文子‧符言篇》又作「善怒」。

這裡「名」、「德」、「怒」三個詞雖然所處的地位相當,然而卻很難說它們彼此之間在形、音、義上存在著什麼樣的關係。

二、異對應及其對應形式

上面我們已經說過,異文間地位相當的字、詞,既可以在形音義上具有關係,也可以沒有關係;而發生關係的字、詞,實際上又包括了兩種情況:一種是彼此相同,一種是彼此不同。

為了研究的方便，我們暫且把異文中地位相當，並且彼此相同的字詞之間的關係稱為「同對應」；而把地位相當，彼此不同——不論其間於形音義或語法作用上有沒有關係——的字詞（有時候是詞組）之間的關係稱為「異對應」。如上一節例(3)之「不」與「不」，「用」與「用」，「命」與「命」，「網」與「網」的對應都屬於同對應；「寧」與「乃」，「丁」與「入」，「我」與「吾」的對應都屬於異對應。例(7)之「名」、「德」、「怒」三個詞的關係也屬於異對應。

　　同對應不存在任何研究價值，可以略而不論。異對應乃是異文差異的集中表現，是最能反映異文本質的東西，也是我們用以校勘古籍，以及進行訓詁、音韻、文字、語法等研究的一個重要依據。可以說，異對應是異文的精髓，它理所當然地應該成為異文研究中的重點。

　　異對應在形式上不拘一格。

　　它既可以是字與字的對應，如：

　　⑴《儀禮・有司》「取糗與股脩，執以出」鄭《注》：「股脩，擣肉之脯。」
　　《釋文》云：「擣，劉本作『搗』，同。」

　　「擣」、「搗」詞同字異，從詞的角度看當屬於同對應，但若從字的角度看則屬於異對應。

　　⑵《左氏春秋經・隱公八年》：「公及莒人盟于浮來。」
　　公羊、穀梁《春秋》「浮來」並作「包來」。

　　「浮來」、「包來」同詞而音稍變，也可以看作是同對

應。至於「浮」之與「包」，則屬於字與字間的異對應。「浮」、「包」上古讀音相近。

也可以是詞與詞的對應，如：

(3)《淮南子·氾論訓》：「履天子之籍，聽天下之政。」《韓詩外傳》卷七第四章作：「履天子之位，聽天下之政。」

「籍」、「位」對應，其義相同。這是單音節詞與單音節詞對應。

(4)《韓非子·說難篇》：「與之論細人，則以為賣重。」《史記·韓非列傳》「賣重」作「粥權」。

「賣重」與「粥權」對應，義亦相同。這是雙音節詞與雙音節詞對應。

(5)《韓詩外傳》卷四第四章：「士不信焉，又多知。」②《荀子·哀公篇》作：「士不信慤，而有多知能。」

其中，「信」與「信慤」對應，「知」與「知能」對應，這是單音節詞與雙音節詞的對應。

(6)《國語·越語下》：「死生因天地之刑。」《管子·勢篇》作：「死死生生因天地之形。」

其中「死生」與「死死生生」的對應，則又是一般詞與疊

音詞的對應。

　　還可以是詞與詞組的對應，如：

　　　(7)《左傳·宣公十五年》：「晉侯使趙同獻狄俘于周，不
　　　　敬。」
　　　《釋文》云：「一本『不敬』作『而傲』。」③

　　　(8)《公羊傳·襄公二十九年》：「季子使而亡焉。」
　　　《說苑·至公篇》作：「季子時使行，不在。」

　　以上例(7)「傲」與「不敬」對應，例(8)「亡」與「不在」
對應，便都是屬於詞與詞組的對應。

三、異對應字詞間的關係

　　前面我們已經討論了異對應的形式，那是屬於異對應外部
形態的問題。這裡，我們要進一步分析異對應字詞間的關係，
則是屬於異對應內在聯係的問題了。

　　異對應字詞之間既可以存在或形、或音、或義（對實詞
說）、或語法作用（對虛詞說）上的關係，也可以沒有什麼關
係，已如上述，而且前面也已經舉了一些這方面的例子，使我
們有了一個初步的印象；不過，實際上異對應字詞之間的關係
要比我們在上面所談到的複雜得多。

　　首先，介於形音義或語法作用上存在著明顯關係與完全沒
有關係之間，還存在著另外一種情況，那就是異對應字詞本身
雖然並沒有直接發生關係，但卻通過第三者（有時甚至還有第
四者）發生關係，其間實際上存在著間接的關係。

其次，同樣是音義上存在著關係的異對應字詞，實際上也包括了多種不同的情況。比如，具有音同、音近關係的，既可以是異體字，又可以是通假字、音譌字，還可以是方言詞；具有義同、義近關係的，既可以是異體字，又可以是同義詞，也可以是方言詞，等等。

現在，我們就將異對應字詞之間所可能出現的種種關係，按其密切程度，分「直接關係」、「間接關係」、「沒有關係」三大類，一一條列並舉例如下：

(一)直接關係

1. 異體字

包括正俗字、古今字、繁簡字、常體或體字的對應等。其特點是音義相同，字形不同。

其例已見上《異文產生的主要原因》章「字有異體」節，此處從略。

2. 音同音近通用字 ④

包括本字與借字，連綿詞、象聲詞、譯音詞不同寫法，以及某些避諱易字與原字的對應等。其特點是音同或者音近，字之本義雖不相同，但彼此（有時也與別的字合起來）在異文中所記錄的詞則是相同的。

其例已分別見上面《異文產生的主要原因》章「但記詞音」節以及同章「避諱改省」節之例(7)、例(8)，此不贅舉。

3. 同義詞

包括一般同義詞、方言詞，以及大部份避諱易字與原用字各自記錄的詞——的對應等。其特點是詞彙意義（對實詞說）或者語法意義（對虛詞說）相同。除了方言詞對應中有一部份存在某些語音關係者⑤外，一般說來，語音上並沒有必然的聯

係。

　　方言詞對應例及避諱易字與原用字各自記錄的詞之對應例已分別見於以上《異文產生的主要原因》章「方言差別」節及同章「避諱改省」節之例(5)、例(6)，一般同義詞對應例也已見於以上《異文的主要表現形式》章「從句子的角度看異文的表現形式」節中「句意句式相同，遣詞用字不同」下之例(1)、例(2)、例(3)，今並從省。

　　有一個問題有必要在這裡交代清楚，那就是我們這裡說的異文之中的同義詞，並不僅僅局限於一般詞典中的同義詞。異文中的同義詞，往往祇是隨文同義而已，一旦離開了異對應這個特定的語言環境，就很可能不成其為同義詞了。例如：

　　　　(1)《左傳‧昭公二十七年》：「無極譖郤宛，焉謂子常曰……」
　　　　《韓非子‧內儲說下篇》作：「無極因謂令尹曰……」

　　子常官令尹，《左傳》稱「子常」，《韓子》稱「令尹」，實同一人。「子常」與「令尹」隨文同義。

　　　　(2)《文選‧鄒陽〈上書吳王〉》：「高皇帝燒棧道，灌章邯。」
　　　　《漢書‧鄒陽傳》作「水章邯」。

　　這裡，《漢書》之「水」用為動詞，意思與《文選》之「灌」相同。然而，在通常的情況下，「水」與「灌」是絕對不會被當作同義詞看待的。

4. 分合音詞

分合音詞乃是同一個詞由於快讀或者慢讀不同而出現語音差異的眞實反映。分合音詞的特點是：書面形式上兩個字對一個字；語音形式上兩個音節對一個音節，而且後者分別與前者之第一音節雙聲、之第二音節疊韻。

　　異文中分合音詞對應的例子如：

　　　(1)《春秋・襄公十二年》：「吳子乘卒。」
　　　　《左傳》作：「吳子壽夢卒。」

錢大昕曰：

　　　「乘」、「壽」皆齒音。（壽）當讀如「疇」，與「乘」爲雙聲。「夢」古音莫登切，與「乘」爲疊韻。併兩字爲一言。」⑥

　　　今按：「壽夢」與「乘」屬分合音詞。所謂「併兩字爲一言」者，「壽夢」兩字快讀相切便得「乘」音也。

　　　(2)《左氏春秋經・僖公三十三年》：「公伐邾，取訾婁。」
　　　　公羊《春秋》作：「公伐邾婁，取叢。」

趙坦曰：

　　　「叢」從「取」得聲，古音近「租」，合「訾婁」二音即爲「叢」。⑦

是「訾婁」與「叢」亦屬分合音詞。

(3)《左傳‧昭公二十五年》，宋元公大子名「欒」。

《史記‧宋微子世家》，宋元公之子，名作「頭曼」。

今按：「頭曼」與「欒」也是分合音詞。「欒」上古屬元部平聲來母字；「頭」上古讀定母，與「欒」爲旁紐雙聲；「曼」上古屬元部平聲字，與「欒」疊韻。

(4)《管子‧小匡篇》：「吾欲輕重罪而移之於甲兵。」

《國語‧齊語》作：「輕過而移諸甲兵。」

今按：「之於」與「諸」對應，亦屬分合音詞，「諸」即「之於」之合聲。

5. 正譌字

包括正字與形譌字，正字與音譌字的對應。其特點是前者字形相近，後者字音相近，而無論是前者還是後者，字義上都沒有必然的聯繫。

其例已見上面《異文產生的主要原因》章「輾轉譌誤」節，此從略。

㈡間接關係

異對應字詞間存在間接關係的情況極爲複雜，今據手頭材料分十二小類列下，實際情況當尙不止於此。

爲了方便起見，類目均用簡單式子表示。式中「甲」、「乙」字分別代表異對應字詞的雙方；「介」字代表甲乙雙方發生關係的中間媒介；箭頭及箭頭上方的文字說明，則表示其

間的種種關係。

1. 甲 _{假借}→ 介 _{同義}← 乙

(1)《莊子・讓王篇》：「昔者神農之有天下也，時祀盡敬而不祈喜。」

《呂氏春秋・誠廉篇》「喜」作「福」。

今按：「喜」借爲「禧」，「禧」與「福」同義。《爾雅・釋詁下》云：「禧，福也。」此即：

喜 _{假借}→ 禧 _{同義}← 福
(甲)　　　(介)　　　(乙)

(2)《晏子春秋・內篇諫上》：「于是景公出野居暴露，三日，天果大雨，民盡得種時。」

《說苑・辨物篇》「時」作「樹」。

今按：「時」借爲「蒔」，「蒔」與「樹」同義。《廣雅・釋地》云：「樹、蒔，種也。」此即：

時 _{假借}→ 蒔 _{同義}← 樹
(甲)　　　(介)　　　(乙)

2. 甲 _{假借}→ 介 _{形譌}→ 乙

(3)《國語・晉語八》：「及爲成師，居太傅。」

《潛夫論・志氏姓篇》作：「爲成率，居傅。」

今按 ：「率」借爲「帥」，「帥」形譌遂成「師」字。此即：率 假借→ 帥 形譌→ 師
　　　　　　　　（甲）　　　（介）　　　（乙）

　　　(4)《左傳・襄公十四年》：「若困民之主，匱神乏祀……」
　　　　《新序・雜事一》作：「若困民之性，乏神之祀……」

　　　沈彤以爲《左傳》「主」當作「生」，「乏」當作「之」。
⑧
　　　今按 ：沈說是。《新序》「性」借爲「生」，《左傳》「生」譌爲「主」。此即：性 假借→ 生 形譌→ 主。
　　　　　　　　　　　　（甲）　　　（介）　　　（乙）

3. 甲 假借→ 介 ←假借 乙

　　　(5)《詩・小雅・隰桑》：「心乎愛矣，遐不謂矣？」
　　　　《禮記・表記》引《詩》，作「瑕不謂矣」。鄭玄注曰：「『瑕』之言，『胡』也。」

　　　今按 ：「遐」、「瑕」並爲「胡」之借字。此即：
　　　遐 假借→ 胡 ←假借 瑕。
　　　（甲）　　　（介）　　　（乙）

　　　(6)《漢書・禮樂志》：「巧僞因而飾之，以營亂富貴之耳目。」
　　　　《前漢紀》卷五「營」作「熒」。

今按：「營」「熒」並借爲「瞥」。《說文・目部》
云：「瞥，惑也。从目，熒省聲。」此即：

　　營 假借 瞥 假借 熒。
　（甲）　（介）　（乙）

4. 甲 假借 介 形誤 乙

(7)《漢書・嚴助傳》：「上嘉淮南之意，美將卒之功。」
　　《前漢紀》卷十作：「美將帥之功」。

今按：「卒」乃「率」字形誤，「率」爲「帥」之借
字。此即：帥 假借 率 形誤 卒。
　　（甲）　（介）　（乙）

(8)《大戴禮記・禮三本篇》：「利省之不卒也……」⑨
　　《荀子・禮論篇》「省」字作「爵」。

王引之曰：「『省』當作『雀』，字形相近而誤。『雀』即『爵』
也。」⑩

今按：王說是。「省」爲「雀」字形誤，「雀」爲
「爵」之借字。此即：爵 假借 雀 形誤 省。
　　（甲）　（介）　（乙）

5. 甲 形誤 介 通用 乙

(9)《管子・小匡篇》：「設問國家之患而不肉。」
　　《國語・齊語》「肉」作「疚」。

王念孫以爲「肉」乃「宍」字之誤，曰：「（宍）隸書或

從篆作⿰冈⿱𠆢，形與『肉』相似，因誤爲『肉』。」⑪

今按：王說是。「肉」爲「爻」字形譌，「爻」與「疚」字通用。此即：肉 _{形譌} 爻 _{通用} 疚。

      （甲）   （介）   （乙）

⑽《戰國策・齊策一》：「辨謂靖郭君曰：『太子相不仁，過頤豕視，若是者信反。』」
《太平御覽・人事部九》引此，「信」作「背」。

今按：「信」乃「倍」之譌字，「倍」「背」兩字通用。此即：信 _{形譌} 倍 _{通用} 背。

      （甲）   （介）   （乙）

6. 甲 _{形譌} 介 _{同義} 乙

⑾《戰國策・齊策一》：「今夫齊，亦君之水也。君長有齊陰，奚以薛爲？夫齊，雖隆薛之城到於天，猶之無益也。」
《新序・雜事二》後一個「夫齊」作「無齊」。

王念孫曰：「（《齊策》）『夫齊』當爲『失齊』，字之誤也。此以大魚之失水，喻靖郭君之失齊。上文曰：『蕩而失水，則螻蟻得意』，是其證也。」⑫

今按：王說是。「夫」乃「失」字形譌，「失」與「無」於此同義。此即：夫 _{形譌} 失 _{同義} 無。

      （甲）   （介）   （乙）

⑿《史記・周本紀》：「乃告司馬、司徒、司空、諸節：

『齊栗，信哉！……』」

《太平御覽》卷一四六引《尚書大傳》，「信哉」作「允
才」。

王引之曰：「『亢』當爲『允』。『允』字或書作『兂』，形與
『亢』相似，故『允』譌爲『亢』。才，讀爲『哉』。」⑬

今按：王說是。「亢」乃「允」之形譌；「允」
「信」義同，《爾雅・釋詁上》、《說文・儿部》並云：「允，信
也。」此即：亢 —形譌→ 允 —同義→ 信。
　　　　　　　(甲)　　(介)　　　　(乙)

7. 甲 —形譌→ 介 —形譌→ 乙

⒀《韓詩外傳》卷一第二十七章：「世不己知而行之不已
　　者，是爽行也。」
　元本「爽」字作「萃」。
　《太平御覽》卷四二六引，則作「華」。

許維遹先生曰：「『萃』『華』形近，故《御覽》譌爲『華』。
『萃』『華』皆『爽』字之形誤也。」⑭

今按：此說得之。是「爽」字一譌而爲「萃」，
「萃」再譌而成「華」也。此即：爽 —形譌→ 萃 —形譌→ 華。
　　　　　　　　　　(甲)　　(介)　　　(乙)

⒁《國語・齊語》：「正月之朝，五屬大夫復事，桓公擇
　　是寡功者而譙之。」
　《管子・小匡篇》「擇是」作「擇其」。

王念孫曰：「『擇是』當從《管子・小匡篇》作『擇其』。『其』 誤爲『甚』，因誤爲『是』耳。隸書『甚』字作『甚』，『是』字作 『是』，二形相似，故『甚』誤爲『是』。」⑮此即：

其 形誤→ 甚 形誤→ 是。

（甲）　　（介）　　（乙）

8. 甲 形誤← 介 形誤→ 乙

⑮《新序・節士篇》：「鮑焦衣弊膚見，挈畚將蔬」。
《韓詩外傳》卷一第二十七章後四字作「挈畚持蔬」。
⑯

俞樾云：「《新序・節士篇》作『將』，此作『持』，皆『挈』字 之誤。」⑰此即：將 形誤← 挈 形誤→ 持。

（甲）　　（介）　　（乙）

⑯《韓詩外傳》卷九第二十一章：「夫志不得，則授履而 適秦楚耳。」
《佩文韻府》卷三十四下引，「授」作「投」。

聞一多先生以爲：作「授」、作「投」，實皆「扱」字之 誤。「扱」與「插」通，「扱履」猶「插履」，「言履無跟， 但以足插入，曳之而行也。」⑱此即：

授 形誤← 扱 形誤→ 投。

（甲）　　（介）　　（乙）

9. 甲 假借← 介 同義→ 乙

⑰《史記・鄭世家》：「當武王邑姜方娠大叔，夢帝謂

己：『余命而子曰虞……』」

司馬貞《索隱》於上文「成王封叔虞于唐」下注引此，
「娠」作「動」。

今按：《左傳・昭公元年》亦載此事，則作「震」字。
《說文・女部》云：「娠，女妊身動也。从女，辰聲。」《雨部》
云：「震，劈歷振物者。从雨，辰聲。」則此作「娠」者本
字；作「震」者借字；至作「動」者，蓋因誤解「震」義（誤
作「震動」義解）而錯用同義字耳。此即：

娠 假借 震 同義 動。
（甲）　（介）　　（乙）
10. 甲 音譌 介 同義 乙

⒅《淮南子・說林訓》：「蹠巨者志遠。」

同書《氾論訓》則云：「蹠距者舉遠。」

今按：「舉」猶「行」也⒆，與「之」同義⒇，作
「志」者，「之」字音譌也。此即：

志 音譌 之 同義 舉。
（甲）　（介）　　（乙）
11. 甲 通用 介₁ 形譌 介₂ 音譌 乙

⒆《新序・雜事四》：「決獄折中，不誣無罪，不殺無
　　辜，則臣不若弦寧。請置以為大理。」

《呂氏春秋・勿躬篇》「弦寧」作「弦章」。

陳奇猷先生曰：「考之《晏子春秋》，為桓公典獄者為弦甯

（見《問上》），與《新序》同（甯、寧同字）；而弦章係諫景公飲酒七日七夜不止者（見《諫上》），是弦章爲景公臣，與《說苑》同。然則爲桓公大理者當是弦甯。《韓非》作『弦商』，乃『商』『甯』形近之譌。《呂氏》此文係襲自《韓非》，遂以章商音近而誤作『章』也。」㉑

今按：此說見解精闢。《新序》作「弦甯」是，《呂氏》作「弦章」者，「甯」字先形譌而爲「商」，「商」字再音譌而成「章」也。「弦甯」變爲「弦章」，一人成二人矣。此即：

甯 —通用→ 甯 —形譌→ 商 —音譌→ 章。
（甲）　　（介₁）　　（介₂）　　（乙）

12. 甲 —假借→ 介₁ —假借→ 介₂ —形譌→ 乙

⑳《墨子·天志下篇》：「殘其城郭，以御其溝池。」
同書《非攻下篇》作「以湮其溝池」。

王引之曰：「『御』當爲『抑』。『抑』之言，『堙』也。謂壞其城郭以塞其溝池。」㉒

今按：王說是。《說文·水部》云：「湮，沒也。」《非攻篇》借「湮」爲「堙」（《說文》作「垔」，曰：「塞也。」）。至於《天志下篇》之「御」，乃「抑」字形譌；而「抑」又爲「堙」借字。「湮」之與「御」，其間關係微妙若此，非好學深思者，孰能知之！此即：

湮 —假借→ 堙 —假借→ 抑 —形譌→ 御
（甲）　　（介₁）　　（介₂）　　（乙）

㈢沒有關係

本章第一節「何謂異文中的字詞對應」中之例⑺屬於這種情況。另舉兩例於下：

⑴《莊子・天地篇》：「百年之木，破為犧尊。」
　《淮南子・俶真訓》作：「百圍之木，斬而為犧尊。」

「年」、「圍」對應，形音義皆無關涉。若就表現形式而論，本例異文乃屬本篇第三章所謂「句意句式相同，遣詞用字不同」類中之第二種情況。

⑵《韓詩外傳》卷一第十二章：「子貢執轡而問曰：『禮，過三人則下，二人則式。今陳之脩門者眾矣，夫子不為式，何也？』」
　《說苑・立節篇》載同一事，「子貢」作「子路」。

今按：子貢、子路自是兩人，「貢」、「路」兩字形音也不相近。此當因傳聞不同，或者一方記憶錯誤使然。

注　釋

①參見《經義述聞》卷十四。
②此據舊本。許維遹《韓詩外傳集釋》參照《荀子・哀公篇》改為「士不信愨而又多知」，似無必要。
③「而傲」之「傲」，通志堂本《經典釋文》作「敖」，今據《十三經注疏》所附《釋文》改「傲」。
④這裡說的通用，是指兩字在具體異對應材料中的通用，並

不是說它們隨時隨地都可以通用。

⑤見前面《異文產生的主要原因》章「方言差別」節中「因方音差別而同詞異音」的有關例子。

⑥轉引自《十三經注疏・春秋左傳正義》卷三十一附阮元《校勘記》。

⑦轉引自李富孫《春秋三傳異文釋》卷三。

⑧見《十三經注疏・春秋左傳正義》卷三十二附阮元《校勘記》。

⑨王引之聲稱宋本及明程本、沈本文字如此。今所見王聘珍《大戴禮記解詁》「省」字作「爵」，又「卒」字作「崒」。

⑩《經義述聞》卷十一。

⑪《讀書雜志・管子第四》。

⑫《讀書雜志・戰國策第一》。

⑬《經義述聞》卷三。

⑭見《韓詩外傳集釋》。

⑮見《經義述聞》卷二十。

⑯舊本如此，許維遹《集釋》本已據俞樾說校改「持蔬」為「捋蔬」。

⑰⑱轉引自許維遹《韓詩外傳集釋》。

⑲見《周禮・地官・師氏》「王舉則從」鄭《注》。

⑳《呂氏春秋・用民篇》：「必有所託，然後可行」，高誘注：「行，之也。」

㉑見《呂氏春秋校釋》。

㉒見《讀書雜志・墨子第三》。

下 編　古籍異文應用研究

上篇，我們已經對異文各個方面的情況，進行了可能詳盡的分析。下篇，我們將進一步研究異文應用的問題。

應用是我們研究異文的最終目的，可是它又不能不以「現象」的分析為基礎。不了解異文產生的原因，弄不清楚異文間的種種關係，就根本談不上甚麼應用。因此，下篇的研究，同上篇的分析，其關係是十分密切的。

第一章 異文應用的理論根據及其實質

一、異文應用的理論根據

異文的應用，旣不是神秘莫測的，也不是可以隨心所欲的。異文的應用乃是一門科學，因此也就必定有它的理論根據。

那麼，異文應用的理論根據是什麼呢？我們說，根據就存在於異文本身所具有的對立統一性之中。

異文的根本特點就是差異，這是異文對立的一面；而差異之中又存在著各種各樣的關係，這是異文統一的一面。異文雙方旣有差異又有聯繫，旣對立又統一的特點，使我們有可能據正確以訂謬誤，據已知以求未知，據改易以證史實，據差異以較優劣，據變化以看發展，於是便有了異文的應用。

比如說，有時候異文中的一方，由於輾轉謬誤的原因，文字上存在著脫、衍、倒、謬的情況，我們往往可以根據不存在脫、衍、倒、謬情況的另一方予以訂正，使之恢復原書的本來面目，這就叫作據正確以訂謬誤。古籍校勘中的所謂「對校法」和「他校法」，都屬於這種異文應用的內容。（例見下章）

又比如說，有時候我們對異文中一方的某些字詞之音義不甚了了，我們往往可以通過與之存在著音義同近關係的異文另一方的對應字詞去推求，這就叫作據已知以求未知。異文可應

用於訓詁，可應用於古漢語語法（主要是虛詞用法）的研究，其道理即在於此。（例見下章）

又比如說，有時候我們也可以通過對部份由於改易原文而形成的異文進行改易動機分析，以考證某些歷史事實或現象。舉個例子：

長沙馬王堆三號漢墓出土帛書《老子》甲、乙本，甲本中所能辨得清的「邦」字共二十二個，乙本皆作「國」字。

所以會有這種不同，最爲合理的解釋是：乙本避漢高祖劉邦諱而改字。據此，我們可以得出結論：甲種本帛書《老子》鈔寫年代當在劉邦稱帝以前，而乙種本帛書《老子》鈔寫年代則必在劉邦稱帝之後。①諸如此類的異文應用，就叫作據改易以證史實。

再比如說，有時候我們也可以對屬於正常情況下（指沒有脫、衍、倒、譌情況）的句式不同、用詞不同、詞序不同的異文雙方，從修辭學的角度給予比較，指出各自的利弊得失，給後人寫作技巧方面以啓迪。這就叫作據差異以較優劣。（例見下章）

還比如說，我們又可以把異文雙方的時代同各自在字詞、語法等方面的特點聯繫起來進行考察，從中窺見漢語文字、詞彙、語法等方面的發展情況。例如：

(1)《三國志》卷一裴《注》引《魏武故事》，曹操《讓縣自明本志令》云：「自以本非巖穴知名之士，恐爲海內人之所見凡愚」。
宋代編撰的《資治通鑑》，卷六十六載比，乃作：「恐爲世人之所凡愚」，無「見」字。

(2)《三國志》卷四十五裴《注》，引《華陽國志》所載李密《陳情表》：「臣之辛苦，非徒蜀之人士及二州牧伯所見明知；皇天后土，實所共鑒。」

唐初編撰的《晉書》，其《李密傳》所載《陳情表》則作：「非但蜀之人士及二州牧伯之所明知……」「見」字也被刪去。

(3)《文選‧賈誼〈弔屈原文〉》李善《注》引晉灼曰：「小水不容大魚，而橫鱣鯨於涔瀆，必為螻蟻所見制，以況小朝主闇，不容受忠迕之言，亦為讒賊小人所見害也。」

《漢書‧賈誼傳》顏師古《注》亦引晉灼語，則云：「……必為螻蟻所制……亦為讒賊小臣所害。」兩「見」字並不見。

有人即根據以上異文材料推斷：魏晉文獻中還屢見不鮮的表示被動意義的「為……所見」語法形式，唐初人已不喜歡沿用了，終於被「為……所」這一歷久不衰的語法形式所吞併。②諸如此類的異文應用，就叫作據變化以看發展。

　　總的說來，上面所談的異文五種「據……以……」的應用，都是建立在異文雙方既有差異又有聯繫，既對立又統一的本質特徵之上的。沒有差異和對立，就不成其為異文，就失去了應用的依據；沒有聯繫與統一，異文雙方就扯不到一塊，也談不到應用的問題。一句話，對立統一性既是異文的特性，也是異文應用的理論根據。

二、異文應用的實質

我們認為，無論是據正確以訂譌誤也好，據已知以求未知也好，還是據改易以證史實也好，據差異以較優劣也好，據變化以看發展也好，所使用的方法都無非是一種比較的方法。

正確與譌誤必須經過比較之後纔能斷定；未知變已知必先經過比較，在確定具有音義同近關係之後纔能進行；改易之辨析，優劣之鑒別，變化之體察，也都非要經過一番比較不可。從方法論上說，異文應用說到底是一種文獻比較法。

從異文雙方（文獻）的比較中得出某種判斷（如上面所說帛書《老子》甲本「邦」字，乙本並書作「國」，經過比較，我們可以判斷乙本為避諱易字），再將判斷加以運用（如將以上判斷應用於甲、乙本鈔寫年代之考證），得出結論（我們便可以得出甲本鈔寫年代當在劉邦稱帝以前，乙本鈔寫年代當在劉邦稱帝以後），這就是異文應用的全過程，也就是異文應用的實質。

在這裡，異文本身所起的作用，純粹在於提供比較材料，至於比較中鑒別、推理，以及其他各種運用材料的能力，則完全決定於應用者本人的學識。在整個比較過程中，始終有賴於其他方法的使用（詳見下第四章）。正因為這樣，不同的人即使都是根據一樣的異文材料，有時候也會得出很不相同的結論來，或者正確，或者錯誤，這在前人異文應用實踐中是屢見不鮮的。

注　釋

①見高亨、池曦朝《試談馬王堆漢墓中的帛書〈老子〉》。

②見吳金華《所見＝所》及張永言《「爲……所見」和「『香』『臭』對擧」出現時代的商榷》。

第二章 異文在語文學科諸多方面的應用

上面，我們曾經談到異文可以有五種「據……以」的應用，說的都是異文應用原理的問題。這裏，我們所要說的，則是關於異文應用實踐的問題。應用實踐乃是對於應用原理的實施。

異文在語文科學研究中的作用是多方面的，下面僅就其中幾個主要方面作些介紹。

一、在古籍校勘上的應用

當異文雙方的差異表現為正誤關係的時候，如果我們根據正確的一方去訂正誤誤的一方，這就是應用異文於校勘。

異文在古籍校勘上的應用，是異文最早同時也是最為重要的一種應用。

前面已經說過，早在兩千年前的西漢時代，就有劉向廣泛利用不但傳本異文大規模校勘古籍的先例。此後直至今日，凡校書者，沒有一個不是以廣羅異本為先務，以各書異文為辨正訂誤最主要依據的。

校書的方法有四種，叫作對校、本校、他校和理校。在這四種方法裏邊，就有對校（根據同一部書的不同版本互校）、他校（採用記載同一內容的各種文獻材料相校）兩種方法是屬於應用異文校勘的內容；而且這兩種方法特別是對校法的作

用，也遠遠不是其他校法所可比擬的。

張舜徽先生在《中國文獻學》一書中，當談到校書廣羅異本的意義時，曾經舉了這樣一個例子，他說：

> 王念孫校勘《淮南子》，竟舉出六十多條大例，剖析入微，可謂極校書之精能……然而遺憾的是：王氏校《淮南子》時，只根據道藏本，而沒有看到宋本。等到《讀書雜志》刻成出版，顧千里求得讀之，因從汪閬源處借來宋本《淮南子》，覆校一過，發現並糾正了王氏許多錯誤。王引之亟稱顧氏心細識精，並為補刻顧校於《淮南雜志》之後。①

這個例子頗能說明問題。以王念孫之博學，尚且在校《淮南子》時候，祇因沒有看到宋本就弄出許多錯誤來，這也足見不同版本異文在古籍校勘中的重要性了。

下面兩條材料，同樣是很有說服力的證明：

(1)宋人彭叔夏在《文苑英華辨證‧敘》中說：「叔夏年十二、三時，手鈔《太祖皇帝實錄》。其間云：『興衰治□之源』，闕一字。意謂必是『治亂』。後得善本，廼作『治忽』。三折肱為良醫，信知書不可以意輕改。」

(2)《說苑‧指武篇》：「復柔委從，如影與響。」

孫詒讓曰：

> 案：「復柔」無義，「復」疑當為「優」，形近而誤。

（《商子・境內篇》：「能一首則復」。「復」今本誤「優」，與此可互證。）②

蔣禮鴻先生云：

> 孫氏這個說法，只能說明「復柔」可能是「優柔」之誤，還不能斷定必然是「優」字。其實《說苑》正是承用了《淮南子・原道訓》「優游委從，如響與景」的話，③如果我們看到了《淮南子》，「復柔」應該是「優柔」，就可以完全肯定了。④

今按：上面前一條材料以善本「治忽」校手鈔底本「治□」，屬於對校；後一條材料以《淮南子》「優游」校《說苑》「復柔」，屬於他校。其可靠性當然是理校法所不能企及的了。

異文應用於古籍校勘的例子可以列出很多，下面僅舉兩例：

(1)《淮南子・主術訓》：「鼛鼓而食，奏《雍》而徹，已飯而祭竈。」

今按：「鼛鼓」當作「鼓鼛」。鼛為大鼓，《雍》則樂名，「鼓鼛」與「奏《雍》」同為動賓結構而事亦相關。《玉海》卷一一〇《音樂部・樂器類》引此，作「伐鼛而食」，「伐」「鼓」義同（如《詩・小雅・鼓鍾》曰：「鼓鍾伐鼛」，「鼓」、「伐」對文，並「敲擊」義），故知《淮南》此文「鼛」當在「鼓」字後也。⑤

⑵《大戴禮記・保傅篇》：「有司叅凤興端冕，見之南
郊」。

王念孫以爲：

> 叅凤興端冕，本作「齊凤端冕」。「齊」與「齋」
> 同。古書「齊」字作「亝」（見《玉篇》及《史記・田儋
> 傳》），形與「叅」相似，因譌爲「叅」。「齊凤」即
> 「齋肅」……《〈大雅・生民〉箋》云：「『凤』之言，『肅』
> 也。」後人不知「叅」爲「齊」之譌，又誤以「凤」爲
> 「凤興」之「凤」，而於「凤」下加「興」字，遂致文
> 不成義。

而他主要的根據則是：

> 《白虎通義・姓名篇》引此，作「齋肅端緩」，《魏書》引
> 此，作「齊肅端冕」，《賈子》、《漢書》竝同。」⑥

今按 ：王氏謂《大戴禮》「叅凤興端冕」之「叅」爲
「齊」字形譌，「興」字爲衍文，並是。此亦利用他書異文爲
校勘也。其讀「凤」爲「肅」，亦是；唯讀「齊」爲「齋」則
不然。《國語・楚語下》：「古者民神不雜。民之精爽不攜貳
者，而又能齊肅衷正……」韋昭《注》：「齊，一也。肅，敬
也。」是「齊肅」爲專一虔敬之意，無取「齋」義。《白虎通
義》文雖作「齋」，亦宜讀「齊」。

二、在詞義訓詁上的應用

當異文雙方的異對應存在著同義關係的時候，如果我們根據已知的一方去推求未知的一方，這就是應用異文於訓詁了。

異文在詞義訓詁方面所起的作用，有時候是一般的字典、詞書所起不到的。

比如，古書中多用通假字，而一般的字典、詞書都重在字的基本應用義，既沒有也不可能把字的假借義一一指出，解決不了通假字訓詁的問題。讀者一旦碰上通假字，有時憑空確實不容易悟出它用的是借字，便可能出現亂套辭書義項，望文生訓的情況。可是，如果我們多找來一些異文材料，卻說不定其中就有以本字易借字的，兩相比較，在多數情況下是不難斷定原書用了通假字的。那時候，我們就會很自然地拿本字所代表的詞義去理解借字，從而正確地領會文章的意思。舉個例說：

> 《尚書·金縢》：「予仁若考能，多材多藝，能事鬼神。」

僞《孔傳》首句於「予仁若考」讀斷，「能」屬下讀，釋之爲：「我周公仁能順父。」

[今按]：以「父」訓「考」，以「順」訓「若」，非無依據，然在這裡卻是道道地地的望文生義。其實這裡的「考」乃「巧」之借字，「考能」是一個同義複詞；「若」爲連詞，義同「而且」。《史記·魯周公世家》作：

> 旦巧能，多材多藝，能事鬼神。

以「巧」代「考」，用的就是本字。⑦顯然祇要對照《史記》異文，偽《孔傳》之錯誤也就一目瞭然了。

又比如，一個詞，當它孤立存在的時候，往往潛藏著不祇一種的意義，可是一旦應用到語言中，卻祇應該保留其中的一種意義。古書中某句話中的某個詞，究竟用的是哪一種意義呢？一般的字典詞書是不會明明白白給你指示出來的。可是，如果我們多找來一些異文材料，卻極有可能從中得到相當明確的答覆。舉個例說：

> 《左傳·昭公二十年》：「（伍）員曰：『彼將有他志。余姑為之求士，而鄙以待之。』……而耕於鄙。」

「鄙」是個多義詞，邊邑可以稱鄙，郊野也可以稱鄙，這裡的「鄙」到底用哪個意思呢？晉杜預《注》以為是「邊鄙」，便弄錯了。其實這裡的「鄙」乃取郊野的意思。《呂氏春秋·首時篇》、《史記·吳太伯世家》及《伍子胥列傳》並作「耕於野」。王念孫指出杜《注》的錯誤，其最重要的依據也正是《呂氏春秋》與《史記》的異文。⑧假設當初杜預也事先注意到這兩部書的異文，怕是不會弄出這種差錯來的。

還有，一個詞具體應用到語言之中，往往意義隨文而變，這也是字典詞書所無法顧及到的，可是在異文中卻常常可以找到恰恰與它此時此地意義相吻合的同訓詞來。舉個例說：

> 《逸周書·克殷解》：「武王乃手太白以麾諸侯。」
> 《史記·周本紀》「手」字作「持」。

「持」正是《逸周書·克殷解》該句「手」字的最好注解。

前代訓詁學家多善於應用異文於訓詁。清高郵王念孫、王引之父子尤爲典範，所撰《讀書雜志》、《經義述聞》利用古書異文訓釋詞義的例子隨處可見，糾正了前人大量望文生訓的錯誤，取得極爲巨大的成績。今舉幾例，以見其餘：

　　⑴《漢書·游俠傳》：「（郭）解爲人靜悍。」

顏師古《注》曰：

　　性沈靜而勇悍。

　　王念孫云：「『靜』與『精』同，故《史記》作『精悍』，《藝文類聚·人部十七》、《太平御覽·人事部百七十三》引《漢書》亦作『精悍』。『精』與『悍』義相近，故以『精悍』連文。作『靜』者，聲近而字通耳。若以『靜』爲沈靜，則與『悍』字義相遠矣。」⑨

　　⑵《大戴禮記·文王官人篇》：「營之以物而不虞」。

盧辯《注》曰：

　　虞，度也。至則攻辨之，不豫計度。

　　王念孫云：「盧以『不虞』爲不豫計度，非也。虞者，誤也。『不誤』謂臨事而不惑也。《逸周書》作『營之以物而不誤』，是其明證矣。」⑩

　　⑶《詩·秦風·終南》：「終南何有？有紀有堂。」

毛亨《傳》曰：

　　紀，基也。堂，畢道，平如堂也。

　　王引之云：「『終南何有』，設問山所有之物耳。山基與畢道仍是山，非山之所有也……今案：『紀』讀爲『杞』，『堂』讀爲『棠』。條、梅、杞、棠，皆木名也。『紀』、『堂』，假借字耳。考《白帖・終南山類》引《詩》，正作『有杞有棠』。唐時《齊》、《魯詩》皆亡，唯《韓詩》尚存，則所引蓋《韓詩》也。」⑪

　　(4)《左傳・桓公十三年》：「見莫敖而告諸天之不假易也。」

杜預《注》曰：

　　言天不借貸慢易之人，威莫敖以刑也。

　　王念孫云：「假易，猶寬縱也。天不假易，謂天道之不相寬縱也。僖三十三年《傳》曰：『敵不可縱』，《史記・春申君傳》：『敵不可假』，《秦策》作：『敵不可易』。是『假』、『易』皆寬縱之意也。」⑫

　　(5)《禮記・坊記》：「昏禮：壻親迎，見於舅姑，舅姑承子以授壻。」

孔穎達《正義》釋末句爲：

婦之父母承奉女子以付授於壻。

　　王念孫云：「孔以『承』爲承奉，非也。承者，引也。言引
女以授壻也。《漢書・賈誼傳》：『人主胡不引殷、周、秦事以
觀之也？』《大戴記・禮察篇》『引』作『承』。是『承』即『引』
也。」⑬

三、在古音韻研究上的應用

　　當異文雙方的異對應存在著音同、音近關係的時候，如果
我們拿它來印證產生異文的那個時代，甲字讀音相同或者相近
乙字，以至推而廣之，以其證明後世之甲乙類音字彼時讀音
同、近，這就是應用異文於古音韻研究了。

　　上古時期還沒有出現韻書——韻圖更不用說了——因此，
上古音的研究不能不以其他材料爲依據，而上古異文材料則是
其中重要的一種。特別是上古聲母的研究，可供利用的材料更
少（上古韻部研究的最重要依據是韻文材料，可是韻文材料在
古聲母研究中卻完全派不上用場），因此也就更顯示出異文的
可貴來。

　　應用異文研究上古聲母系統最早同時也最有成績的音韻學
家首推清人錢大昕。

　　錢氏在所著《十駕齋養新錄》卷五中提出了三個極其著名的
古音學命題：古無輕脣音；古無舌頭舌上之分；古人多舌音。
⑭其中對於「古無輕脣音」的論證，一共引用證明材料七十
則，便有五十一則應用了古書異文材料；對於「古無舌頭舌上
之分」的論證，一共引用證明材料二十五則，便有十八則應用
了古書異文材料；對於「古人多舌音」一說的論證，共引用證

明材料六則，也有三則應用了古書異文材料。總之，錢氏以上三個論點，很大成份是依靠古書異文材料來支持的。

盡管我們認爲，單純根據《詩》之「匍匐」，《檀弓》引作「扶服」，《家語》引作「扶伏」等等一類異文材料，祗能說明後代分別讀爲輕、重脣音的字，上古原無此等分別，卻無法證明這等字在上古到底是讀輕脣還是重脣，同樣，單純根據《詩》之「重穋」，《周禮》作「穜稑」等等一類異文材料，也祗能說明後代分別爲舌音、齒音的一部份字上古本同一類，卻無法證明它們在上古是讀舌音還是齒音，但是我們還是毫不含混地肯定，異文在上古聲母研究中所作的貢獻是突出的。因爲起碼可以說，上古輕重脣音一類，舌頭舌上不分，部份舌音、齒音字合一，這樣重要的語言事實，正是通過大量的古書異文材料揭示出來的。這不能不說是上古聲母研究方面的一個大突破。

錢大昕從古書異文材料中得到啓發，提出了自己對於上古聲母的一些看法，雖說由於所用材料局限於古書異文及一部份古書注音，因而存在結論大於論據之毛病，但畢竟爲後人指出了一條進行上古音研究的新路子；而且他的看法，經過後人進一步研究，也證明是可信的。⑮

錢氏之後，又有更多的人應用異文進行古音韻的研究，作出了一定的成績。隨便舉兩個例子：

(1)《詩·小雅·采菽》：「載驂載駟，君子所屆。」
《晏子春秋·內篇諫上》引《詩》，「屆」作「誡」。

王念孫以爲《晏子》原也作「屆」，「今作『誡』者，俗音亂之也。」他說：

「居」字以「凵」為聲，於古音屬至部……若「誡」字則以「戒」為聲，於古音屬志部……此兩部之音，今人讀之相近，而古音則絕不相通。至於《老》、《莊》諸子，無不皆然……今改「居」為「誡」，則與「浧」、「嘒」、「駉」之音不協。⑯

裴學海先生根據《左傳‧隱公十一年》「公會鄭伯于時來」，《公羊傳》作「祁黎」⑰；《漢書‧地理志》「右扶風郁夷」，《注》引《詩》「周道郁夷」，《文選‧西征賦》李《注》引《韓詩》作「威夷」；《公羊傳‧成公十三年》⑱「曹公子喜時」，《漢書‧古今人表》作「剌時」；《漢書‧古今人表》「視夷」，《呂氏春秋》作「式夷」等異文材料及別的一些語言材料推斷：

> 《詩經》時代原不合韻的「脂」（相當於王氏所說的至部
> ——筆者注，下同）、「之」（相當於王氏所說的志
> 部）兩部，到了戰國末年，則有合韻的事實，而且直到
> 漢代，亦復如此。⑲

因而批評了王念孫在這個問題上缺乏語音發展歷史觀點的錯誤。⑳

裴先生的批評是有說服力的，在這裡，古書異文又一次顯示了它的作用。

> (2)張德鴻先生拿長沙馬王堆三號漢墓出土帛書《老子》
> 甲、乙本同通行本《老子》相比較，發現凡通行本用
> 「兮」字的地方，帛書甲、乙本均作「呵」，沒有例

外。

張先生於是斷定：「在先秦時，楚地一帶的『兮』、『呵』（啊）二字讀音完全相同。」他說：

> 《詩經》、《楚辭》中曾大量使用語氣詞「兮」，清代音韻學家孔廣森首先發現它的古讀音和「啊」字差不多。這一說法，郭老亦加以肯定和採用。現今出版的《辭海》、《辭源》，對「兮」字均釋為「相當於現代漢語的『啊』。」電影《屈原》在處理屈原詩篇《橘頌》中的「兮」字時，已大膽地讀為「啊」。[21]但是，由於沒有更有力的實證，所以至今學者們對「兮」的解釋仍持慎重態度，說「兮」相當于「啊」，或和「啊」差不多。其實，二字古讀應完全一樣，寫時可以互換，這從《老子》帛書出土提供的材料已得到充份證明。[22]

張先生所論令人不容置疑，而他所說的「充份證明」，實際上就是古書不同本子的異文。

四、在語法學研究上的應用

異文在語法研究上的應用，首先是關於虛詞功用研究方面的應用。

當異文雙方的差異表現為語法作用相同的不同虛詞對應的時候，如果我們根據作用已經明確的一方虛詞，去推知作用尚未明確的一方虛詞，這便是應用異文於虛詞功用的研究了。

虛詞與詞序乃是古今漢語表達語法意義的兩種主要手段，

而古漢語虛詞的情況又特別複雜，不但數量多，而且用法亦極紛繁，以致前人有「實字易訓，虛詞難釋」之感慨。因此，對於虛詞的研究，即使在今天也仍然是古漢語語法研究中的一個重要方面。而異文正是在這個方面再一次顯示出它的作用來。

前人應用異文研究虛詞的例子很多，成績也很大。例如：戴震《毛鄭詩考正》卷一曰：

> 《詩》中「聿」、「曰」、「遹」三字互用。……《禮記》引《詩》：「聿追來孝」，今《詩》作「遹」。《七月篇》：「曰為改歲」，《釋文》云：「《漢書》作『聿』。」《角弓篇》：「見晛曰消」，《釋文》云：「《韓詩》作『聿』，劉向同。」《傳》於「歲聿其莫」，釋之為「遂」；於「聿修厥德」㉓，釋之為「述」。《箋》於「聿來胥宇」，釋之為「自」；於「我征聿至」，「聿懷多福」，「遹駿有聲」，「遹求厥寧」，「遹觀厥成」，「遹追來孝」，竝釋之為「述」。今考之，皆承明上文之辭耳，非空為辭助，亦非發語辭。而為「遂」、為「述」、為「自」，緣辭生訓，皆非也。
>
> 《說文》有「欥」字，注云：「詮詞也。从欠，从曰；曰亦聲。」引《詩》「欥求厥寧」。然則「欥」蓋本文；省作「曰」；同聲假借，用「聿」與「遹」。詮詞者，承上文所發端，詮而繹之也。

這裡戴氏先據異文證明「聿」、「曰」、「遹」三字通用；又通過《詩》「遹求厥寧」，《說文》引作「欥求厥寧」，推知「聿」、「曰」、「遹」三字與「欥」用法相同，皆承明上文之辭，指出了《毛傳》、《鄭箋》緣辭生訓的錯誤。立論有理有

據，令人信服。

王引之撰《經傳釋詞》，全書引用異文材料近三百則。其中如：

> 卷二云：「焉，猶『於是』也，乃也，則也。……僖十五年《左傳》：『晉於是乎作爰田』，『晉於是乎作州兵』，《晉語》作『焉作轅田』，『焉作州兵』。《西周策》：『（君）何患焉？』《史記‧周本紀》作『君何患於是』。是『焉』與『於是』同義。……《荀子‧禮論篇》：『三者偏亡，焉無安人。』《史記‧禮書》『焉』作『則』。《老子》第十三章：『故貴以身為天下，則可寄天下。』《淮南‧道應篇》引此，『則』作『焉』。是『焉』與『則』亦同義。後人讀周、秦之書，但知『焉』為絕句之詞，而不知其更有他義，於是或破其句，或倒其文，而《禮記》、《國語》、《公羊》、《老子》、《楚辭》、《山海經》諸書，皆不可讀矣。」

這是通過異文中「焉」與「於是」、「則」對應的例子，說明「焉」不但可用為句末語氣詞（王氏所謂絕句之詞），而且也可用為連詞㉔或兼詞㉕（王氏所謂更有他義）。

> 又卷四云：「也，猶『兮』也。《詩‧日月》曰：『乃如之人兮』，《蝃蝀》曰：『乃如之人也』；《君子偕老》曰：『邦之媛也』，《羔裘》曰：『邦之彥兮』，文義竝同；《鳲鳩》曰：『其儀一兮，心如結兮』，《禮記‧緇衣》引，作『其儀一也』，《淮南‧詮言篇》引，作『其儀一也，心如結也』；《旄邱》曰：『何其處也』，《韓詩外傳》引，作『何其

處兮』;《君子偕老》曰:『玉之瑱也』,《說文》引,作『玉
之瑱兮』,是也。」

　　這裡實際是根據異文中「也」、「兮」對應的例子,說明
「也」也可用作感嘆語氣詞。
　　值得注意的是,裴學海、王蔭濃、程垂成、謝質彬在《〈古
代漢語〉上冊(第一分冊)中語法、訓詁問題的商榷》一文中,
應用異文材料分析語法,已經不像前人一樣僅僅局限於虛詞的
訓釋,而且也涉及到句法結構分析的問題。如:
　　王力先生主編的《古代漢語》說:

　　「何所……」是主謂倒裝的疑問句式,「所」字詞組用
　　作主語,「何」字用作謂語,「何所不容」就是「所不
　　容(者)何」;這種說法在意思上帶有周遍性,「何所
　　不容」意思是「無所不容」。㉖

《商榷》不同意這種觀點,認為:「『何所不容』不是主謂倒裝的
疑問句,而是主語在前、謂語在後的順陳的疑問句。『何』字不
是全句的謂語,而是『所』字的定語。『所』字不是同『不容』結合
成一個『所』字詞組作主語,而是同『何』字結合成一個偏正詞組
作主語。簡而言之……『何所』是主語,『不容』是謂語。」理由
是:「『何所』是一個固定詞組,不能把它們拆開來分析。」知
其然者,便是根據古書異文材料之證明。《商榷》說:

　　如《史記‧淮陰侯傳》:「今大王誠能反其道,任天下武
　　勇,何所不誅?以天下城邑封功臣,何所不服?以義兵
　　從思東歸之士,何所不散?」這段話在《漢書‧韓信傳》

作「⋯⋯何不誅⋯⋯何不服⋯⋯何不散」，顏師古在「何不誅」下注曰：「言何所不誅也。下皆類此。」又如，《史記・酈生傳》：「齊王曰：『天下何所歸？』曰：『歸漢。』」《漢書・酈食其傳》作「齊王曰：『天下何歸？』食其曰：『天下歸漢。』」又如，《禮記・三年問》：「君之所為，百姓之所從也；君所不為，百姓何從？」《家語・大昏解》作「君之所為，百姓之所從；君不為正，百姓何所從乎？」又如，《後漢書・袁紹傳》：「中常侍趙忠言於省內曰：『袁本初坐作聲價，好養死士。不知此兒終欲何作？』」《〈三國志・袁紹傳〉注》引《英雄記》，作「不知此兒欲何所為乎？」這些都是「何所」等於「何」的例證。

既然「何所」就等於「何」，那麼，由此可見，「何所」是個固定詞組，「何所不容」就等於「何（人）不容」，而不是等於「所不容（者）何」。

又，彭鐸先生在《古籍校讀與語法學習》一文中，也有應用異文說明成份省略、語序顛倒、意動使動、句子格式等語法問題的生動例子，此不贅述。

這就啟示了我們：異文無論是在古漢語語法研究方面，還是在古漢語語法教學方面，其潛在作用都是大可發掘的。

下面是筆者試用異文印證古漢語語法現象，並據以識別前人訓詁錯誤的一個例子：

《戰國策・齊策三》：「土偶曰：不然。吾西岸之土也，土則復西岸耳。」姚宏《注》曰：「一作『吾殘則』。」

王念孫曰：

> 土則復西岸，義不可通。此承上「則女殘矣」而言，則
> 作「吾殘」者是也。……《風俗通義‧祀典篇》、《藝文
> 類聚‧果部》、《太平御覽‧土部》引此，並作「殘則復
> 西岸」，《御覽‧人事部》作「吾殘則復西岸」。㉗

裴學海先生則曰：

> 此是上下文同字異義之例。「土也」是土地之土，「土
> 則」之土是「屠」之借字。屠，壞也（見《廣雅》）。㉘

　　今按：王、裴二氏所說並誤。「土則」之「土」既非
誤字，亦非「屠」之借字。「土」字於此乃名詞作動詞用，取
「殘碎爲土」的意思。整個句子大意是說：我本來就是西岸上
的土，就是碎成土塊也不過再回到西岸去罷了。
　　古漢語中名詞作動詞用，是一種常見的語法現象，如：

　　⑴《韓非子‧喻老篇》：「不厚待之，不若殺之。」
　　　《呂氏春秋‧上德篇》作：「君不禮也，不如殺之。」

「禮」本是名詞，但這裡卻用作動詞，是「禮待」的意思。

　　⑵《文選‧司馬子長〈報任少卿書〉》：「然陵一呼，勞軍
　　　士無不起，躬自流涕，沫血飲泣，更張空拳，冒白
　　　刃，北嚮爭死敵者。」
　　　《漢書‧司馬遷傳》作：「北首爭死敵」。

「首」亦名詞，用爲動詞，取「首嚮」的意思。

> (3)《史記‧魏其武安侯列傳》：「今日斬頭陷匈，何知程
> 李乎！」
> 《漢書‧灌夫傳》作：「今日斬頭穴匈，何知程、
> 李！」

「穴」亦名詞，用爲動詞，取「捅陷成穴」的意思。

比照上面異文，我們不難看出，名詞用爲動詞之後，它所表示的動作的意義（這裡且稱之爲新義）仍然與該詞原來的意義（這裡且稱之爲舊義）密切相關。有時候，舊義表現爲新義所表示的行爲採取的方式，例如(1)「君不禮也」的「禮」，新義是「（禮）待」，舊義是「禮」，「禮」是「待」的方式。有時候，舊義表現爲新義所表示的動作的發生體，如例(2)「北首爭死敵」的「首」，新義是「（首）嚮」，舊義是「首」，「首」是動作「嚮」的發生體。有時候，舊義表現爲新義所表示的動作的結果，如例(3)「今日斬頭穴匈」的「穴」，新義是「捅陷（成穴）」，舊義是「穴」，「穴」便是動作「捅陷」的結果，「土則復西岸」的「土」，正是這種情況。

由此可見，今本《齊策》不誤，《風俗通義》、《藝文類聚》、《太平御覽》「土」字作「殘」，當由後人不明「土」字之義而改竄。「土」、「殘」兩字形音俱不相近，其非字誤可知。至於《齊策》一本也作「殘」字，則又後人據類書所改也。

五、在文字學研究上的應用

異文也可以應用於文字學的研究。雖然前人在這方面的實

踐還比較少，可是筆者以爲，祇要運用得法，異文同樣能夠發揮很好的作用。

試擧其例於下：

(1)《令毀》銘文曰：「令敢鼎（揚）皇王宝（休）」。

又曰：「令用夆（敬）辰于皇王，令敢辰皇王宝。」

郭老釋「辰」字云：「兩『辰』字从厂長聲，殆是碭之古文，讀爲揚。知者，以上言『令敢揚皇王宝』，與下言『令敢辰皇王厚』，文例全同，則辰亦揚矣。」㉙

(2)《顏氏家訓・書證篇》載秦始皇二十六年鐵稱權銘文：

「乃詔丞相狀、綰，灋度量齫不壼歉疑者，皆明壽之。」

「壼」字諸字書多未收㉚，究爲何字？但如果我們比較一下梅堯臣《陸子履示秦篆寶詩》題注所載篆寶銘文：

法度量則不一嫌疑者，皆明一之。㉛

我們就不難斷定，「壼」即「壹」字了。

上二例是利用異文以識字。

(3)《說文・耳部》云：「聖，通也。」

《辭海・語詞分冊（上）》亦曰：「（聖，）本義為通。」㉜

今按：「聖」字甲骨文或作 🦻，金文或作 🎏 ㉝，其象皆爲一人形而突出其耳部，旁加一口，當取口耳授受之意，爲「聽」之初文。這也可從古書異文中得到證明：

　　　《尚書・無逸》：「此厥不聽」，漢熹平石經「不聽」作
　　　「不聖」。㉞
　　　《禮記・樂記》：「小人以聽過」，《釋文》云：「『以聽
　　　過』，本或作『以聖過』。」
　　　《史記・秦始皇本紀》載秦泰山刻石文：「皇帝躬聖」，
　　　泰山刻石真跡原作「皇帝躬聽」㉟。

　　此三例，「聖」皆用其本義，「聖」即「聽」也。由此可知，《說文》訓「通」，《辭海・語詞分冊》謂其「本義爲通」，其實祇不過是「聖」的後起義罷了。

　　這是在探求字的本義時候，應用了古文獻中的異文。

　　又，筆者曾經對《顏氏家訓》與其後引用《家訓》各書的文字異同進行過一些比較，從異文這一新的角度，印證了存在於漢字發展過程中的一條重要規律，這就是字體趨向簡單化，字義趨向明確化的規律。其說如下：

　　(1)《顏氏家訓・勉學篇》：「《漢書・王莽（傳）・贊》
　　　云：『紫色䵞聲，餘分閏位』，謂以僞亂真耳。」
　　　《太平廣記》、《類說》「䵞」字並作「蛙」㊱。

　　(2)同篇：「捶挏，此謂撞擣挺挏之，今爲酪酒亦然。」
　　　《類說》「擣」作「搗」㊲。

(3)同書《書證篇》:「開皇二年五月,長安民掘得秦時鐵
　　稱權」。
　　《續家訓》「稱」作「秤」㊳。

　　上三例,「䖟」變爲「蛙」,「擣」變爲「搗」,「稱」
變爲「秤」,顯然是字體簡單化了。

(4)同書《風操篇》:「喪出之日,門前然火,戶外列灰,
　　祓送家鬼,章斷注連。」
　　《倭名類聚鈔》卷六引,「然」作「燃」㊴。

(5)同書《省事篇》:「卜筮射六得三,醫藥治十差五。」
　　《少儀外傳》上引,「差」作「瘥」㊵。

(6)同書《雜藝篇》:「唯不可令有稱譽,見役勳貴,處之
　　下坐,以取殘盃冷炙之辱。」
　　元刊《集千家註分類杜工部詩》卷十九《奉贈韋左丞丈
　　二十二韻》王洙《注》、宋刊本《草堂詩箋》卷三《注》
　　引,「坐」並作「座」㊶。

　　上三例,「然」改爲「燃」,「差」改爲「瘥」,「坐」
改爲「座」,則是字義趨向明確化的體現。
　　我們知道,較早的時候,表示燃燒的「燃」用「然」字,
而表示然否的「然」也長期借用「然」字;表示差錯的「差」
用「差」字,而表示病愈的「瘥」也作「差」字;表示坐臥的
「坐」用「坐」字,而表示座位的「座」也同樣用「坐」字:
字所主義,頗不明確。後世爲了表達準確,於是又造出了

「燃」、「瘥」、「座」三個字來，分擔其中表示燃燒、病愈、座位這一部份意義，而讓「然」、「差」、「坐」三字專主餘下的那一部份意義，這樣，各字所主的意義專一了，意思自然也明確了。

六、在修辭學研究上的應用

異文在漢語修辭學研究方面的應用，目前也不多見，但是筆者仍然認爲，它應當而且將會成爲古漢語修辭研究中值得重視的一種方法。

今擧其例如下：

(1)《史記‧蕭相國世家》云：「上大怒……乃下相國廷尉，械繫之。數日，王衛尉侍前，問曰：『相國何大罪，陛下繫之暴也？』」
《漢書‧蕭何傳》載其事，而「何」字作「胡」。

(2)《史記‧高祖本紀》：「諸父老皆曰：『平生所聞劉季諸珍怪，當貴；且卜筮之，莫如劉季最吉。』」
《漢書‧高帝紀上》載此事，「珍怪」作「奇怪」。

上兩例，一加比較，便可看出：前一例《漢書》作「胡」明了，而《史記》用「何」則有被誤解爲指稱相國蕭何的可能；[42]後一例《漢書》作「奇怪」貼切，而《史記》作「珍怪」則不甚妥當。[43]顯然，這兩例乃是《漢書》有意改易《史記》文字，實在也是改得好的。

(3)《世說新語・文學篇》：「客問樂令『旨不至』者，樂亦不復剖析文句，直以麈尾柄確几，曰：『至不？』」

《太平御覽》卷七○三引此，作「以麈尾柄敲机」。

(4)《孟子・滕文公下》記陳仲子：「以兄之祿為不義之祿而不食也……他日歸，則有饋其兄生鵝者，己頻顣曰：『惡用是鶂鶂者為哉？』他日，其母殺是鵝也，與之食之。其兄自外至，曰：『是鶂鶂之肉也。』出而哇之。」

《太平御覽》卷九一九引此，作「出而吐之」。

上兩例，兩相比較，前一例《世說》用「確」字，麈尾柄擊几之聲如聽，《御覽》作「敲」，就遜色了；後一例《孟子》用「哇」字亦極傳神，《御覽》用「吐」，就乏味了。顯然，這兩例引文如此改易，反不若原書為勝了。

諸如此類的異文比較是頗有意思的，這對於啟發後人提高寫作技巧，當不會沒有幫助。

七、在其他方面的應用

除了以上六個方面之外，古書異文在其他諸多方面的研究工作中也都可以派上用場。

比如說，學者們在考證古代名物的時候，也常應用到異文。例如：

《初學記》卷四引《公羊傳》曰：「提月，六鶃退飛過宋都。」

清洪亮吉《釋歲》懷疑「提月」爲正月之別稱㊹，今人饒宗
頤先生作證曰：

> 今觀楚曆正月月名曰刑屍，二月月名曰夏屍，皆繫以屍
> 字，衡諸古代異文假借的例證，提和示每每通用，刑屍
> 省稱作屍月或示月，又借作提月，亦有可能。如趙盾的
> 車右，《左傳》曰提彌明（宣六年《傳》），《公羊》作祁彌
> 明，《史記・晉世家》作示眯明（《說文・目部》「眯」即
> 彌㊺），《釋文》「祇彌明」注：「祇本又作提，上支
> 反。」以是爲例，故知《公羊》之提月，即楚簡的屍月。
> ㊻

這裡，饒先生的論據，主要用的就是古書異文。
　　異文還可應用於古書句讀的判斷。例如：

> 《漢書・異姓諸侯王表》：「秦起襄公；章文、繆；獻、
> 孝、昭、嚴，稍蠶食六國。」

顏師古斷「章文繆獻」爲句，「孝昭嚴」爲句，云：

> 言秦之初大，起於襄公始爲諸侯，至文公、繆公、獻
> 公，更爲章著也。

王念孫曰：

> 當斷「章文繆」爲句，「獻孝昭嚴」爲句……《史記・
> 秦楚之際月表・序》曰：「秦起襄公；章於文、繆；

獻、孝之後，稍以蠶食六國。」是其明證也。⑰

　　　今按：王說甚是。古人行文講究字句整齊，《漢書》
「章文繆獻孝昭嚴」七字，究竟當斷爲上三下四，還是上四下
三？固難確定；但《史記》「章於文繆獻孝之後」八字，則斷無
讀爲上五下三之理。故據《史記》異文而可知顏《注》句讀之誤
也。

　　有必要特別指出的是，異文在文史哲研究方面，也是大可
利用的。舉個例子說：

　　　《鄧析子·轉辭篇》云：「夫治之法莫大於私不行，功莫
　　大於使民不爭。今也立法而行私，與法爭，其亂也甚於
　　無法⑱；立君而尊愚，與君爭，其亂也甚於無君。故有
　　道之國，則私善不行，君立而愚者不尊，民一於君，事
　　斷於法，此國之道也。」
　　　《慎子·內篇》亦云：「法之功莫大使私不行，君之功莫
　　大使民不爭。今立法而行私，是與法爭，其亂甚於無
　　法；立君而尊賢，是賢與君爭，其亂甚於無君。故有道
　　之國，法立則私善不行，君立則賢者不尊，民一於君，
　　斷於法，國之大道也。」

　　有意思的是，《鄧析子》說：「立君而尊愚，與君爭，其亂
也甚於無君」，《慎子》則說：「立君而尊賢，是賢與君爭，其
亂甚於無君」，《鄧析子》說：「君立而愚者不尊」，《慎子》則
說：「君立則賢者不尊」。《鄧析子》用「愚」，《慎子》則作
「賢」，這是什麼道理呢？

　　　今按：《鄧析子》以與君爭者屬之愚，所謂愚者，但泛

稱一般愚昧無知之人罷了；而《慎子》以與君爭者屬之賢，所謂賢者，即《韓非子・五蠹篇》所稱「儒以文亂法，俠以武犯禁，而人主兼禮之」之儒也。兩書皆以有法無私，君威至上立論，然前者泛泛而談，後者則矛頭直指儒者，前者溫和，後者彊硬，亦可見矣。考《漢書・藝文志》，《鄧析子》列入名家，《慎子》列入法家。司馬談《六家要指》云：「（名家）控名責實，參伍不失」，「法家不別親疏，不殊貴賤，一斷於法。」⑭證之以上賢愚之辨，可知其言之不謬。

　　以上是筆者試用名、法兩家哲學著作中的異文分析兩家思想異同的一個例子，意在說明異文於文史哲研究上也有用處。筆者於文史哲方面毫無研究，而關於這方面的異文應用也不是本書討論的重點，故祇能做到淺嚐輒止，留待方家去談了。

注　釋

①見該書第一二三頁。

②見《札迻》卷八。

③劉文典《淮南鴻烈集解》（中華書局一九八九年五月版）該
　　句作「優游委縱，如響之與景」。疑蔣氏引文偶有誤脫。

④見《校勘略說》。

⑤王念孫以爲當據《玉海》改作「伐罄」（見《讀書雜志・淮
　　南內篇第九》），恐未允當。

⑥見《經義述聞》卷十一。

⑦說見王引之《經義述聞》卷三「予仁若考」條。唯王氏父子
　　以「考能」、「巧能」之「能」屬下讀，恐未妥，今不
　　取。

⑧見《經義述聞》卷十九。

⑨《讀書雜志・漢書第十四》。

⑩《經義述聞》卷十三。

⑪《經義述聞》卷五。

⑫《經義述聞》卷十七。

⑬《經義述聞》卷十六。

⑭後兩個命題見於該卷「舌音類隔之說不可信」條。

⑮例如，王力先生說：「雖僅就古書通用之例看來，也可以說古無重脣而有輕脣；但是，依現代方言看來，在閩粵吳等處，輕脣字仍多讀重脣者，而重脣字卻未變輕脣，這一個重要的痕迹令我們傾向於假定古無輕脣。」（見《漢語音韻學》第336～337頁）

⑯《讀書雜志・晏子春秋第一》。

⑰所引並見《經》文而非《傳》文，蓋誤記。

⑱「十三年」當作「十六年」，裴氏誤記。

⑲裴氏以時、來、郁、喜、式諸字入上古「之」部；祁、黎、威、剎、視諸字入上古「脂」部。又，認為《晏子春秋》係戰國末年作品。

⑳見《評高郵王氏四種》。

㉑此上但撮大意，並未逐字照錄原文。

㉒見《「兮」、「啊」一音的有力佐證》。

㉓《毛詩》原文「修」字作「脩」。

㉔「焉作轅田」、「焉作州兵」、「焉無安人」、「焉可寄天下」之「焉」屬此。

㉕「君何患焉」之「焉」是。

㉖見該書中華書局1962年版上冊第340頁或1980年修訂本上冊第367頁。

㉗《讀書雜志・戰國策第一》。

㉘《評高郵王氏四種》。

㉙見《兩周金文辭大系圖錄考釋・令殷考釋》。

㉚近年國內出版之《漢語大字典》已收此字，即取自《顏氏家訓・書證篇》。

㉛轉引自《顏氏家訓集解・書證篇集解》。

㉜見本書上海人民出版社 1977 年 11 月版第 476 頁。上海辭書出版社 1979 年版《辭海》已無此語。

㉝見高明《古文字類編》。

㉞見《石經尚書》。

㉟見《金薤琳琅》卷二《秦泰山刻石》。

㊱㊲㊳㊴㊵㊶轉引自王利器《顏氏家訓集解》。

轉引自王利器《顏氏家訓集解》。

㊷楊樹達先生說：「《史記》云『相國何大罪』，班氏改作『胡大罪』。此以相國名何，言『何』嫌於舉相國之名，故變『何』爲『胡』也。」（見《漢文文言修辭學》第五章）

㊸王若虛云：「『珍』字不安，《漢書》改爲『奇』，是矣。」楊樹達先生發揮說：「珍寶字屬器物言。如劉季斬蛇，老嫗夜哭等事，乃奇怪，非器物之事也。」（見《漢文文言修辭學》第三章）

㊹見《卷施閣文集》甲集卷二。

㊺此說不知何據。疑「彌」當作「瞔」。《集韻・支韻》曰：「瞔，眇目也。或作『瞷』、『眯』。」

㊻見《秦簡日書中「夕」（栾）字含義的商榷》。

㊼《讀書雜志・漢書第二》。

㊽「甚於無法」之「法」原本誤「私」，今據文意訂正。

㊾轉引自《史記・太史公自序》。

第三章　異文應用中存在的幾個問題

　　毫無疑問，前人利用異文進行各種各樣的研究工作，取得的成績是巨大的，上面一章裡異文在各方面應用的衆多例子已經充份地證明了這一點。不過，我們也應當看到，前人在應用異文過程中也存在著一些問題，而且有的還是帶有普遍性的問題，是應用異文者的通病，如果我們不把它們指出，很可能還要影響下去，貽誤後人。

　　筆者以爲，前人在應用異文過程中最爲常見的毛病有這麼三個：一是强求一律；二是混淆關係；三是濫用亂套。

　　今逐一分述於下：

一、强　求　一　律

　　這一條可以說是前人應用異文校勘古籍時候的通病。

　　異文的形成原因旣是多種多樣，表現形式又是不拘一格，前已述矣。然而，在形形色色的異文中，除了因爲傳抄翻刻過程中出現文字脫、衍、倒、譌現象而造成的異文外，別的異文都是屬於各書本來面目——即使是書鈔、類書中常有的因爲編撰者不解原書詞語意義而妄加改竄造成的異文，也是如此。

　　對於前者來說，據正以訂誤，當然十分必要，否則就會以譌傳譌；但對後者來說，則無論是據此改彼還是據彼改此，都是要不得的，否則也會失其本眞。蔣禮鴻先生說過：「校勘家

有一個信條，就是原文不是說不通的時候不要輕改。」①此乃
至理名言。然而，校書者往往昧於此理（或者並非不明此理，
但實踐起來卻又有違此理），動輒以此律彼，專事改訂，甚至
拿經過後人竄改過的書鈔、類書來改訂原書，眞可以稱爲「好
治不病以爲功」了。今舉其例如下：

　　　⑴《說文·士部》：「尌，舞也……《詩》曰：尌尌舞
　　　　我。」

　　段玉裁《注》改「舞也」爲「士舞也」，且云：

　　　「也」當爲「皃」，《毛傳》：「尌尌，舞皃。」古書
　　　「也」「皃」二字多互譌。

　　[今按]：言「舞也」，言「舞皃」，其實皆無不可，理
當各依本文。此猶如《詩·周南·螽斯》「螽斯羽，詵詵兮」，
《毛傳》云：「詵詵，衆多也。」而《小雅·皇皇者華》「駪駪征
夫」，《毛傳》則曰：「駪駪，衆多之貌。」《周南·桃夭》「桃
之夭夭」，《毛傳》云：「夭夭，其少壯也。」而《邶風·凱風》
「棘心夭夭」，《毛傳》則曰：「夭夭，盛貌。」或云「某
也」，或云「某皃」，本得兩通。②且，《說文·女部》亦曰：
「娑，舞也……《詩》曰：市也婆娑。」形式與此正同，難道其
「舞也」之「也」亦「皃」之譌字麼？段氏於此據《毛傳》以訂
《說文》，實屬多事。

　　　⑵《晏子春秋·內篇諫上》：「夫以賤匹貴，國之害也；
　　　　置大立少，亂之本也。」

王念孫曰：

> 置大，本作「置子」，今本「子」作「大」者，後人不
> 曉「子」字之義而妄改之也。「子」即太子也。置子立
> 少，謂廢太子而立少子也……《羣書治要》正作「置子立
> 少」。③

今按：王氏此說不確。置大立少，「大」「少」相
對，正與「以賤匹貴」，「貴」「賤」相對同樣句法；若作
「置子立少」，則不類矣。且下文云：「夫陽生，生而長，國
人戴之，君其勿易。」「生而長」，「其勿易」，正與「置
大」之義相承。此非後人不曉「子」字之義而妄改《晏子》，蓋
《治要》撰者誤解「置」字之義而竄改原文。「置」有廢、立二
義：《國語‧周語中》：「今以小忿棄之，是以小怨置大德也，
無乃不可乎！」即取「廢」義；《左傳‧僖公十五年》：「於是
秦始征晉河東，置官司焉。」則取「立」義。後世「置」之
「廢」義罕用而「立」義獨存，遂有不知其有「廢」義者。
《羣書治要》改為「置子立少」，其意乃謂「立皇太子而立少
子」，亦非王氏所謂「廢太子而立少子」也。王氏之誤，由信
書鈔太過耳。

(3)《墨子‧備梯篇》：「適人除火而復攻。」

王引之曰：

> 「除」字義不可通。「除」當為「辟」，「辟」與
> 「避」同。言我然火以燒敵人，敵人避火而復攻城也。

隸書「䢋」字或作「辟」，與「除」相似而誤。《備蛾傳篇》正作「敵人辟火而復攻」。④

今按：小王此說亦非。除火者，滅火也，義甚淺近，有何不通？《備蛾傳篇》作「辟火」，各依本文可矣，古書豈皆千篇一律，略無變化哉？

(4)《荀子·勸學篇》：「君子博學而日參省乎己。」

俞樾云：

「省乎」二字，後人所加也。《荀子》原文蓋作「君子博學而日參己」。參者，驗也……後人不得「參」字之義，妄據《論語》「三省吾身」之文，增「省乎」二字，陋矣。《大戴記·勸學篇》作：「君子博學如日參己焉」，「如」「而」古通用，無「省乎」二字，可據以訂正。⑤

今按：作「日參省乎己」，義自可通（「參」讀爲「三」⑥），何必與《大戴記》強同。俞氏謂《荀子》「省乎」二字爲後人所加，想當然耳。

(5)《左傳·昭公二十七年》：「（或取一編菅焉，）或取一秉秆焉，國人投之（，遂弗熱也）」。

《說文·禾部·秆》下引《春秋傳》，則曰：

或投一秉秆。

李富孫以爲「投」當作「取」，云：

> 《說文》作「投」，是涉下文「國人投之」而誤。⑦

> 又，《左傳·昭公二十九年》：「共工氏有子曰句龍，爲
> 后土……后土爲社」。

《說文·示部·社》下引《春秋傳》，則曰：

> 共工之子句龍爲社神。

李富孫亦云：

> 案下文「后土爲社」，當涉此而誤。⑧

　　今按：李氏兩說皆不得其實。《說文》乃綜合上下文意引耳。《說文》引書極爲靈活，如此之例多有（參見本書上篇第二章「引用書意」一節），豈得皆目爲誤？

　　(6)《呂氏春秋·務大篇》：「竈突決，上棟焚。」

俞樾曰：

> 此本作「上焚棟」，傳寫誤倒。《論大篇》作「竈突決，
> 則火上焚棟」，是其證。⑨

蔣維喬等則曰：

> 俞說疑非。考《孔叢子》作「上棟于將焚」，《類聚》八十作「火上棟宇」，又九十二作「火上棟，宇將焚」，《御覽》八百六十九作「火棟，宇將焚」，又九百二十二作「上焚棟宇」。疑本作「火上棟，宇將焚」，今本奪「火」及「宇將」數字，非傳寫倒誤也。⑩

陳奇猷先生又曰：

> 此當從《論大》作「火上焚棟」，脫「火」字，「焚棟」又誤作「棟焚」耳。蔣改作「火上棟，宇將焚」，亦通。⑪

　　今按：《務大篇》此句，俞氏以為誤倒，蔣氏等以為誤脫，陳奇猷先生又以為既誤倒且誤脫，聚訟紛紜，莫衷一是，而各據異文以為證明。其實本句自通，大可不必更改也。

　　「竈突決，上棟焚」者，謂竈之突（煙囪）決，則竈上方之屋棟被焚也。本句之所以被視為誤倒、誤脫，蓋由誤將「竈突」連讀（「竈」字讀時，其後本當略作停頓）、當詞看待所致。這樣一來，「上棟」之「上」便成為「突」之上，而不是「竈」之上，遂覺其義難通（哪裡有棟在煙囪之上的道理呢？），兼之又見他篇所載、諸書所引，文皆不同，更以為其屬譌誤無疑了。然《諭大篇》、《孔叢子》、《類聚》兩處、《御覽》兩處，文字各不相同，若欲強求一律，又當何所依從乎？

二、混淆關係

這一條也是前人疏釋異文、應用異文時候常有的錯誤。

異文中異對應字詞之間的關係極為複雜，如果對之認識不足，就很容易混淆其間關係，弄出各種各樣的差錯來。今舉其例如下：

㈠以音近爲義同例

《左傳‧昭公二十七年》：「使公子掩餘、公子燭庸帥師圍潛。」

《史記‧吳太伯世家》及《刺客列傳》，還有《吳越春秋‧王僚使公子光傳第三》，「掩餘」並作「蓋餘」。

李富孫云：

> 《釋言》曰：「弇，蓋也。」《釋文》：「弇，古『掩』字。」《〈周語〉注》、《〈淮南‧說林〉注》竝云：「蓋，掩也。」是「掩」與「蓋」義同。

又引武億曰：

> 《韓非‧說林》「將攻商蓋」，《書》作「商掩」，《孟子》作「伐奄」。此「奄」、「掩」、「蓋」，字異而義同。⑫

今按：武、李二氏之說實皆本於司馬貞《史記索隱》。

《〈吳太伯世家〉索隱》曰：

> 《春秋》作「掩餘」，《史記》並作「蓋餘」，義同而字異。或者謂太史公被腐刑，不欲言「掩」也。

武、李二氏正是根據《索隱》前說立論，並且加以發揮。然其不足置信，甚爲顯然：人、地專名，又豈能隨意以同義字相代替⑬？《索隱》後說倒是有些道理，不過「掩」之作「蓋」，仍不在於義同，而在於音近也；觀《書》之「商掩」，《孟子》之「奄」，《韓非·說林》則作「商蓋」可知，韓非豈亦諱「掩」、「奄」字乎？此皆因爲但記詞音故也。「掩」上古屬談部影母；而「蓋」從「盇」得聲，「盇」屬葉部匣母。「掩」「盇」就韻部言，則有陽入對轉關係；就聲母言，則爲旁紐雙聲。是「掩」「蓋」音近。又，《說文·疒部》云：「瘱……从疒，盇聲，讀若脅，又讀若掩。」亦爲「蓋」「掩」音近之佐證。此所以「掩餘」或作「蓋餘」，「商掩」或作「蓋掩」也。

(二)以異義爲同義例

《廣雅·釋詁》：「於，尻⑭也。」

王念孫《疏證》引證異文曰：

> 《荀子·儒效篇》：「隱於窮閻陋屋」，《韓詩外傳》「於」作「居」。

> 今按 ：《荀子》「隱於窮閻陋屋⑮」之「於」屬介詞，

《韓詩外傳》「隱居窮巷陋室」⑯之「居」爲動詞，詞性尚且不同，何論詞義。王氏引以證明「於」有「居」義，未妥。

㈢以正誤爲同義例

《尚書‧堯典》：「試可乃已。」

《史記‧五帝本紀》作：「試不可用而已。」

錢大昕曰：

《尚書》云：「試可乃已」，古人語急，以不可爲「可」也。古經簡質，得史公而義益明。⑰

今按 ：錢氏此說實難令人置信。「可」與「不可」，義正相反，盡管古經簡質，又豈有如此簡法？《堯典》原文蓋作「試弗可乃已」，後世傳本脫「弗」字耳。太史公作《史記》，每喜以「不」字易《書》之「弗」，如：

(1)《書‧甘誓》：「弗用命，戮于社。」
《史記‧夏本紀》作：「不用命，僇于社。」

(2)《書‧洪範》：「汝弗能使有好于而家，時人斯其辜。」
《史記‧宋微子世家》作：「女不能⋯⋯」

(3)《書‧金縢》：「王有疾，弗豫。」
《史記‧魯周公世家》作：「武王有疾，不豫。」

因疑《堯典》此句偶脫「弗」字也。

㈣以異義爲通假例

《左傳・閔公元年》「卜偃」，《國語・晉語》一、三、四
並作「郭偃」，《太平御覽》卷六二〇引《呂氏春秋》同。

李富孫釋之曰：

「卜」與「郭」，聲之轉。⑱

今按：《晉語二》：「獻公問于卜偃曰」，韋昭《注》
云：「卜偃，晉掌卜大夫郭偃也。」郭偃爲掌卜大夫，故或稱
「郭偃」，或稱「卜偃」。然郭爲偃之姓，卜爲偃之職，
「郭」、「卜」異義，即使音近，亦偶然耳，不得從音轉關係
作解釋也。

㈤以形誤爲音轉例

《周易・繫辭下》：「損，德之脩也。」
《釋文》：「脩，馬作『循』。」

《莊子・大宗師》：「以德爲循。」
《釋文》：「爲循，本亦作『脩』。」

郝懿行《爾雅義疏》於《釋詁上》「遹、遵、率，循也」條下
引上《周易》、《莊子》並《釋文》文，「脩」字作「修」，而曰：

「修」、「循」一聲之轉也。

　　　今按 ：「脩（修）」屬心母幽部字，「循」爲邪母文部字，聲雖相近，韻則相遠；本由形近致誤，非有關於語音，郝氏之說非是。⑲

㈥正字譌字混淆例

　　《管子·幼官篇》：「秋行夏政葉，行春政華，行冬政耗。」

　　《淮南子·時則訓》作：「秋行夏令華，行春令榮。」

　　俞樾以《管子·幼官篇》之「葉」字爲「榮」字誤，曰：

　　　蓋「榮」「華」二字，義本相近，故《管子》言「秋行夏政榮，行春政華」，而《淮南子》言「秋行夏令華，行春令榮」，文雖互易，義實不殊也。⑳

　　　今按 ：俞說非是。「榮」「華」同義，秋行夏政抑行春政，豈能無別？觀《幼官篇》上文「春行冬政肅，行秋政霜，行夏政閹」，肅、霜、閹異義；「夏行春政風，行冬政落，重則雨雹，行秋政水」，風、落（假借爲「零」）、雨雹、水異義；下文「冬行秋政霧，行夏政雷，行春政烝泄」，霧、雷、烝泄亦異義，故知此不當「華」「榮」並用。

　　意者，《管子·幼官篇》「葉」字不誤，《淮南子·時則訓》作「華」倒是「葉」字之誤。秋氣肅殺，草木至秋本當葉黃萎落，然若時令反常，秋氣晚至，夏政尚行，則仍枝繁葉茂而無衰敗之象，此所謂「秋行夏令葉」也。「華」「葉」兩字字形相近，易於譌混，如：

《史記‧范雎傳》:「穰侯,華陽君,昭王母宣太后之弟也。」《集解》引徐廣曰:「華,一作『葉』。」

《戰國策‧秦策三》「華陽(君)」,《趙策四》作「葉陽(君)」。

同書《東周策》:「謀之於葉庭之中」,姚宏曰:「《(春秋)後語》作『章華之庭』。」

《淮南子‧脩務訓》:「稱譽葉語,至今不休。」《文子‧精誠篇》作「稱譽華語」。

並是。而此又其例矣。

(七)本字借字倒置例

《荀子‧儒效篇》:「故人主用俗人,則萬乘之國亡。用俗儒,則萬乘之國存。用雅儒,則千乘之國安。用大儒,則百里之地,久而後三年,天下為一,諸侯為臣;用萬乘之國,則舉錯而定,一朝而伯。」

《韓詩外傳》卷五第五章「伯」作「白」。

王念孫因謂《儒效篇》曰:

「伯」讀為「白」。白,顯著也。言一朝而名顯於天下也。㉑

今按:王氏讀《儒效篇》「伯」字為「白」,大誤。此「伯」為本字,即伯主之伯,後世多寫作「霸」。《韓詩外傳》作「白」倒是「伯」之借字,「白」當讀「伯」。何以知之?此段文字言人主用人不同,治國之功隨異,而以俗人、俗儒、

雅儒、大儒相比較。其於大儒，又分別依用於小國（百里之地）與用於大國（萬乘之國）之不同立說。所謂「舉錯而定，一朝而伯」，定者定天下也，伯者伯諸侯也，與「天下為一，諸侯為臣」並為稱霸天下之意。此皆人主用大儒之效，其所不同唯在：用於小國則功稍緩（久而後三年），用於大國則效立見（舉錯而定，一朝而伯）耳。從國亡、至國存、至國安、至稱霸天下，皆據國勢強弱而言，其義層層遞進而事同一類，若言「一朝而名顯於天下」，則不類矣。且「名顯於天下」，其效尚不及「諸侯為臣」，哪有大儒用於萬乘之國反不如用於百里之地的道理呢？何況「白」但有「顯明」義，謂「一朝而白」為「一朝而名顯」，猶須添字解經，亦未若讀「一朝而伯（作動詞用，義為「稱霸」）明瞭也。

三、濫用亂套

這一條主要見於前人訓釋古書字句時候。

異文於訓詁上作用甚巨，然須用之得當，如果用之不當，不該用而用之，便成濫用亂套，不但無功，反而有害，所謂「水能浮舟，亦能覆舟」也。今舉其例於下：

(1)《左傳‧襄公二十三年》：「季孫之愛我，疾疢也；孟孫之惡我，藥石也。美疢不如惡石。夫石猶生我；疢之美，其毒滋多。」

王引之曰：

藥石，謂療疾之石，專指一物言之。非分藥與石為二

物，故下文云「美疢不如惡石」，又云「石猶生我」也……《大雅·板篇》：「不可救藥」，《韓詩外傳》「藥」作「療」㉒

今按：王氏說誤。藥石為古人治病之兩種主要手段。藥指湯劑丸散之類，石指針砭之屬。「藥石」與「疾疢」相對，同為並列結構。若謂「藥石」為「療疾之石」，則「疾疢」豈不也成為「致疾之疢」了？如此說法，恐非原書文意之所當有。「美疢不如惡石」、「石猶生我」云云，雖但言「石」，其意則與「藥石」無異，實為「藥石」之省略語，此猶「美疢」、「疢之美」云云，雖但言「疢」，實亦上文「疾疢」之同義詞也。王氏為了促成己說，引《詩》異文以證「藥」有「療」義，大可不必。

(2)《國語·周語下》：「吾朝夕儆懼，曰：『其何德之修，而少光王室，以逆天休？』」韋昭《注》：「光，明也。」

王引之曰：

「光」之言，「廣」也。謂廣大王室也。上文曰：「王室其愈卑乎」，「卑」與「光」義正相對……《堯典》「光被四表」，《漢成陽靈臺碑》「光」作「廣」；《荀子·禮論篇》：「積厚者流澤廣」，《大戴禮·禮三本篇》「廣」作「光」；《大戴禮·曾子疾病篇》：「君子行其所聞，則廣大矣」，《漢書·董仲舒傳》「廣」作「光」：是「光」與「廣」同聲，而字亦相通。㉓

 今按：韋《注》訓「光」爲「明」不誤。「光王室」意謂使王室生光，使王室烜赫也。上文「王室其愈卑乎」，「卑」者衰微之意，「烜赫」與「衰微」義正相對，「光」但依本字作解可矣。王氏濫引異文，以爲「光」當讀「廣」，然帝王之家（王室）又豈能擴大（廣）乎？

(3)《荀子·不苟篇》：「以義變應，知當曲直故也。」

俞樾曰：

> 「變」讀爲「辯」。《周易·文言》曰：「由辯之不早辯也。」《釋文》曰：「辯，荀作『變』」……是「變」與「辯」古通。「辯」之言，「徧」也。《儀禮·鄉飲酒禮》「眾賓辯有脯醢」，《燕禮》「大夫辯受酬」，鄭《注》並云：「今文『辯』作『徧』。」是其證也。「變」與「辯」通，則亦可借爲「徧」，「以義變應」者，以義徧應也。㉔

 今按：「以義變應」者，以義變通應事也。㉕《荀子》此文，「變」依本字作解，義甚明白順當。俞氏濫引異文，三彎四轉，先讀「變」爲「辯」，又轉讀爲「徧」，反覺牽強。

(4)《荀子·法行篇》：「曾子曰：同游而不見愛者，吾必不仁也；交而不見敬者，吾必不長也；臨財而不見信者，吾必不信也。」

俞樾曰：

不長者，無所長也。《子道篇》：「色知而有能者，小人也。」《韓詩外傳》「能」作「長」。是「不長」猶「不能」也。吾無所能，宜其不見敬矣。㉖

今按：「吾必不長也」之「長」，當讀「仁厚長者」之「長」（音 zhǎng），不讀「各有所長」之「長」（音 cháng）。「不長」謂無長者之風。己無長者之風，故人不敬之。俞氏亂套異文，以「能」訓「長」，說什麼「吾無所能，宜其不見敬矣」，非也。不仁、不長、不信（誠實）皆從待人處世角度而言，至於能力大小，豈可相持並論乎？

(5)《左傳・昭公二十四年》：「紂有億兆夷人。」

裴學海先生曰：

「夷」為「餘」之借字（《漢書・古今人表》「吳餘昧」，《公羊傳》作「夷昧」）。㉗

今按：夷，常也。㉘夷人者，常人也。下文：「余有亂臣十人」，「亂臣」杜預訓為「治臣」，常人、治臣同屬偏正結構而義亦相對。裴先生於此不適當地套用異文，讀「夷」為「餘」；然「億兆餘人」，古今漢語何曾有此說法？「億兆」於文中不過極言商紂有人之眾，既為虛數，何得言「餘」？

注　釋

①《校勘略說》。
②參見齊佩瑢《訓詁學概論》第一六七頁。

③《讀書雜志・晏子春秋第一》。

④《讀書雜志・墨子第五》。

⑤《諸子平議》卷十二《荀子一》。

⑥「參」「三」古通用。如《論語・泰伯》：「參分天下有其二」，《易・說卦傳》：「參天兩地而倚數」，《國語・齊語》：「參其國而伍其鄙」，或「參」、「二」同用，或「參」、「兩」對文，或「參」、「伍」對文，「參」即「三」。

⑦⑧《春秋三傳異文釋》卷九。

⑨《諸子平議》卷二十四《呂氏春秋三》。

⑩⑪見陳奇猷《呂氏春秋校釋》。

⑫《春秋三傳異文釋》卷九。

⑬出於避諱原因者除外，但武、李二氏又未提出任何證據說明其屬此種情況。

⑭尻：古「居」字。《玉篇・几部》：「尻與『居』同。」

⑮陋屋：王先謙《集解》本作「漏屋」，與王氏引文異。

⑯見卷五第五章。

⑰《廿二史考異》卷一《史記一》。

⑱《春秋三傳異文釋》卷二。

⑲說本王念孫《爾雅郝注刊誤》。

⑳《諸子平議》卷一《管子一》。

㉑《讀書雜志・荀子第二》。

㉒《經義述聞》卷十八。

㉓《經義述聞》卷二十。

㉔《諸子平議》卷十二《荀子一》。

㉕王先謙《荀子集解》說。

㉖《諸子平議》卷十五《荀子四》。

㉗見《古書虛字集釋》卷末附《〈經傳釋詞〉正誤》。

㉘見《書‧顧命》「夷玉」《傳》、《詩‧大雅‧皇矣》「串夷載路」《傳》、《大雅‧瞻卬》「靡有夷屆」《傳》及《孟子‧告子上》「民之秉夷」《注》。

第四章　異文應用中的二要素三原則

二要素指異文應用過程中的兩個重要環節：找和辨。

三原則指應用異文時候所必須遵循的三條基本法則：恰當估價，科學使用，慎重立論。

分述如下：

一、異文應用中的二要素

(一)找

找來可供利用的異文材料，是異文應用的前提。離開了這個前提，應用便成爲一句空話。因此，「找」是應用異文者所必須做的第一件事。

古文獻中的異文材料十分豐富，但往往並不是現成的，它有賴於應用者自己去找。

我們在本書一開始的時候，曾經討論了異文存在的場所，以爲異文一般存在下面三種情況之中：

第一是同一部書的不同傳本、版本。

第二是記載同一事物的各種資料。

第三是具有引用與被引用關係的文獻之間。

不用說，我們這裡所說的「找」的地點，也是離不開上面三種情況中的各個場所的。

不過，盡管理論上大家都知道上這些場所去找異文材料，而實際上找的能力卻大不相同。一般說來，對於古書版本、目錄比較熟悉，涉獵古書較廣的人，找起來也較順利；反之則頗費力。

　　清代漢學大師王念孫、王引之、俞樾等人極善於利用異文於古書校勘與訓詁，他們的「找」的功夫可以說是達到信手拈來，左右逢源的境界，這與他們博覽羣書不無關係。可見，要做好「找」的工作，也不是一件容易的事。

　　「找」的能力與個人的學識密切相關，至於學識的增長，那是個人長期努力的結果，則是不言而喻的。

　　關於「找」的問題，有兩點不可不知：

　　■第一是「找」務廣泛。

　　「找」務廣泛有兩個意思：一是說，查找可供利用異文材料的時候，著眼點不宜太狹。除了在一般書本中進行查找之外，諸凡龜甲、金石、竹簡、帛書中的異文，也不可輕易放過。《顏氏家訓·書證篇》載：

> 《史記·始皇本紀》：二十八年，丞相隗林、丞相王綰等，議於海上。諸本皆作山林之「林」。開皇二年五月，長安民掘得秦時鐵稱權，旁有銅塗鐫銘二所……其「丞相狀」字，乃為狀貌之「狀」，「爿」旁作「犬」；則知俗作「隗林」，非也，當為「隗狀」耳。

　　這是根據地下出土文物上的異文，是正傳世史書上的文字譌誤，從而使一個名載靑史的重要歷史人物不再埋沒眞名。這個例子說明，查找異文材料，是不能僅僅局限於一般典籍的。

　　找務廣泛的另一個意思是說，應該盡可能多地搜集可供利

古籍異文研究

136

用的異文。這裡也舉一個例子：

《左傳·哀公十四年》：「叔孫氏之車子鉏商獲麟。」

單獨從這句話裡，我們很難斷定叔孫氏的車夫到底是叫「鉏商」還是「子鉏商」。若按杜預《注》：「車子，微者；鉏商，名。」則「子」承上讀；若按服虔說：「車，車士，微者也。子，姓；鉏商，名。」①則「子」屬下讀。引證異文，《叢書集成初編》本《孔叢子·記問篇》曰：

叔孫氏之車子曰鉏商。

如果我們就此滿足，不再深究的話，極有可能得出結論：叔孫氏的車夫但叫「鉏商」，「車子」兩字連讀。可是這個結論卻是錯的。祇要我們進一步查找異文，就可以發現，這同樣的一句話《四部叢刊》本及《四部備要》本《孔叢子》並作：

叔孫氏之車辛曰子鉏商。

《孔子家語·辨物篇》則作：

叔孫氏之車士曰子鉏商。

而且，《漢書·古今人表》有「子鉏商」；《風俗通義》也說：「《左傳》有子鉏商」②，並以子鉏商爲稱。《孔叢子》版本是非暫且不論，而班固、應劭、服虔皆漢時人，畢竟距古較近，其說當可依信。這個例子，也足見應用異文時候，盡可能多地搜

集相關材料之重要性了。

■第二是「找」宜靈活。

這裡同樣包含了兩個方面的內容：

善於利用各種資料，包括前人編撰的各種異文考釋集，前賢為各書的校注，前代學者的某些學術著作等等，從中發現線索，獲得自己需要的異文材料，這是「找」宜靈活的第一個內容。

比如說，我們想得到關於《詩經》中某一篇、章、句子的異文材料，不但可以查馮登府的《三家詩異文疏證》、陳喬樅的《詩經四家異文考》、李富孫的《詩經異文釋》、張維屏的《經字異同》，也可以查陸德明的《經典釋文》以及《詩經》的各家校注，還可以查諸如王引之《經義述聞》、俞樾《羣經平議》之類學術著作。

馮、陳、李、張四書固為異文專輯；《經典釋文》亦多錄載異文；《詩經》各家校注之中總少不了有關於不同版本及他書引文字句異同的比校或考證材料；至於《經義述聞》、《羣經平議》兩書，並專為羣經校勘、訓詁而作，書中旁徵博引，異文材料也極豐富。故此，我們往往可以從中找到自己需要的東西。

如果不曉此道，盲目翻書，自不免於事倍功半，甚至於徒勞無功了。

「找」宜靈活的第二個內容是，要善於在無異文處找異文。

這是說，有時候研究對象本身沒有異文可供利用，要懂得找可供利用的其他異文材料。不妨舉幾個例子：

(1)《管子‧大匡篇》：「出欲通，吏不通，五日，囚。」

「出」字無解，當爲「士」字之誤。雖然，就《大匡篇》這句話本身來說，一時還找不到有「出」字作「士」的異文來作爲有力的證明，可是我們卻完全可以利用其他一些異文材料，如：

《淮南子・繆稱訓》：「勇士一呼，三軍皆辟，其出之也誠」，《新序・雜事四》「出」譌作「士」。

《大戴禮記・虞戴德篇》：「諸侯相見，卿爲介，以其教士畢行」，《荀子・大略篇》「士」譌爲「出」。

《左傳・僖公二十五年》：「謀出，曰：『原將降矣。』」《呂氏春秋・爲欲篇》「謀出」譌作「謀士」。

《史記・夏本紀》：「聲爲律，身爲度，稱以出。」《集解》引徐廣曰：「（出）一作『士』。」

同書《呂太后本紀》：「齊內史士說王曰……」《集解》引徐廣曰：「（士）一作『出』。」

等等，通過古書中「出」「士」兩字每易相亂的事實，證明所言《大匡篇》「出」爲「士」譌絕非憑空臆說，這同樣是有說服力的。

　　(2)《大戴禮記・四代篇》：「此謂楣機。」

王念孫曰：

楣與機非一類，古書亦無竝言楣機者。「楣機」當為「樞機」。樞，戶樞也，所以利轉；機，門梱也，所以止扉——皆門戶之要也，故以喻用人之要。《文王官人篇》：「其貌曲媢」，《逸周書》「媢」作「媚」，故知「楣」為「樞」之誤。③

(3)《周禮·春官·司几筵》：「其柏席用萑黼純。」

王念孫曰：

柏者，「椑」之借字。鄭《注》以「柏」為「椑」字磨滅之餘，非也。「椑」「柏」聲相近，故字相通。《莊子·齊物論篇》「南郭子綦」，《徐無鬼篇》作「南伯子綦」，是其例也。④

(4)《呂氏春秋·精通篇》：「隱志相及」。

楊樹達先生曰：

「隱志」文不可通，「隱」當讀為「意」，「隱志」即「意志」也。「意」「隱」二字一聲之轉，古可通。昭公十年《左氏春秋經》「季孫意如」，《公羊經》作「隱如」，《史記·文帝紀》有「故楚相蘇意」，《漢紀》作「蘇隱」，並其證也。⑤

(5)《尚書·呂刑》：「墨辟疑赦，其罰百鍰，閱實其罪。劓辟疑赦，其罰惟倍，閱實其罪。剕辟疑赦，其罰倍

差，閱實其罪。宮辟疑赦，其罰六百鍰，閱實其罪。
大辟疑赦，其罰千鍰，閱實其罪。」

楊筠如先生釋「閱實」曰：

> 閱，當為「說」。《詩・小弁》：「我躬不閱」，《左傳》
> 「閱」作「說」，是其證。說，即古「脫」字也。
> 「實」與「寔」同，通作「置」。《〈周易・坎〉釋文》：
> 「寔，姚本作『置』。」是其證也。《說文》：「置，赦
> 也。」則「閱實」猶言脫赦矣。⑥。

　　上面幾個例子，都是在無異文處找異文，應用得十分成
功，解決了古書校勘、訓詁上的疑難問題，完全可以令人信
服，稱得上靈活應用異文的範例。

㈡辨

　　辨清所用異文之致異原因、形式類型以及異對應字詞之間
關係等方面情況，是異文應用過程中應該做的第二件事，也是
異文應用的關鍵。
　　前面討論異文應用實質的時候，我們曾經說過：從方法論
來說，異文應用說到底就是一種文獻比較法。從異文雙方（文
獻）的比較中得出某種判斷，再將判斷加以運用，從而得出結
論，這就是異文應用的全過程，也就是異文應用的實質。其
中，「從異文雙方的比較中得出某種判斷」一句，所謂「判
斷」，主要指的就是關於異文致異原因、形式類型以及異對應
字詞之間關係等問題的判斷；所謂「比較」，也就是我們這裡
所要討論的「辨」。

異文應用的成功與否，很大成份取決於「判斷」的正確性。正確的判斷或許會有因爲運用不當而導致結論錯誤的情況（前面《異文應用中存在的幾個問題》章「濫用亂套」節所舉例子屬於這種情況），而錯誤的判斷卻是無論用到哪裡也不會產生出正確的結論來的。

　　判斷的正確性又取決於「辨」的科學性。「辨」合乎科學，得出的判斷就正確，否則就錯誤。

　　在這本書裡面，筆者爲了說明問題，引用了不少前人應用異文失誤的例子，其中的絕大部份失誤，究其原因，往往就出在沒有弄清異文的致異緣由，不明異文的形式類型，誤解異文中異對應字詞關係等問題上。也就是說，這些失誤的原因，往往是由於「辨」沒搞好，判斷錯誤所造成的。

　　例如，有人誤把「引用書意」原因造成的異文看作是「輾轉譌誤」的結果（誤辨），因而很自然地把異文之間的關係錯誤地判斷爲正譌關係（誤斷），最後又將這一錯誤的判斷應用於校勘（誤用），於是爲之說曰：「某當作某，今本作某者非。」（結論錯誤）終於鑄成大錯（前面《異文應用中存在的幾個問題》章「強求一律」節所舉例子多有這種情況）。這是因爲沒有分辨清楚異文的致異原因，從而引出一系列的錯誤來。

　　又例如，《禮記・祭義》：

　　　　天之所生，地之所養，無人爲大。

《正義》曰：「無人爲大者，言天地生養萬物之中，無如人最爲大。」其解至確。《大戴禮記・曾子大孝篇》作：

天之所生，地之所養，人為大矣。

這裡，《禮記・祭義》用的是否定句式，《大戴禮記・曾子大孝篇》用的是肯定句式，然而句意實無多大差別。此本屬「句意相同，句式不同」的異文類型，可是王引之卻錯誤地把它當作「句意句式相同，遣詞用字不同」的異文類型看待（誤辨），從而作出「無人為大，人為大也」的錯誤判斷（誤斷），又將這一錯誤判斷應用於「無」的詞義訓詁（誤用），最後得出結論說：「『無』為發聲」⑦（結論錯誤）。這是因為沒有分辨清楚異文的形式類型，因而導致一系列的錯誤。

至於因為沒有分辨清楚異文中異對應字詞關係而造成錯誤的，例子更多，前面《異文應用中存在的幾個問題》章之「混淆關係」節所舉的例子，便全部屬於這種情況。

總而言之，「辨」在整個異文應用過程中所處的地位是極為重要的。「辨」正確了，成功地應用異文就有了保證；「辨」錯誤了，就難免會招致一連串的失誤，正所謂「一著不慎，滿盤皆輸」了。

下面談關於「辨」的方法問題。

要想「辨」得正確，就非講究「辨」的方法不可。前人在應用異文過程中積累了豐富的「辨」的經驗，使用過許多合乎科學的、行之有效的「辨」的方法。這些方法歸納起來，主要有：

1. 據義理人情辨

(1)《淮南子・覽冥訓》：是「是猶抱薪而救火，鑿竇而出水。」

《文子・精誠篇》作：「鑿渠而止水，抱薪而救火。」

王念孫曰：

> （《覽冥訓》）「出」當為「止」，字之誤也。欲止水而
> 鑿竇，則水從竇入，而愈不可止。若鑿竇而出水，則固
> 其宜耳。⑧

今按：王氏說是。其所以斷定「出」當為「止」者，
以義理不通故也。

> (2)《戰國策·趙策四》：「左師觸龍言願見太后，太后盛
> 氣而揖之。」
> 《史記·趙世家》作：「太后盛氣而胥之。」《集解》
> 曰：「胥猶須也。」

王念孫以為《趙策》作「揖」字誤，曰：

> 隸書「胥」字作「胥」，因譌而為「胥」，後人又加手
> 旁耳。下文言「入而徐趨」，則此時觸龍尚未入，太后
> 無緣揖之也。⑨

今按：王氏說是。然其知「胥」誤為「揖」，而非
「揖」誤為「胥」者，以「太后盛氣而胥（「胥」借為
「須」，待也）之」合乎情理，「太后盛氣而揖之」不近人情
也。

2. 據文勢句法辨

> (3)《周易·繫辭上》：「言天下之至賾而不可惡也，言天

下之至動而不可亂也。」

鄭玄本、王弼本「至動」並作「至賾」。

孔穎達《正義》曰：

若以文勢上下言之，宜云「至動而不可亂也」。

今按：《正義》說是。上文云：「聖人有以見天下之賾，而擬諸其形容，象其物宜，是故謂之象。聖人有以見天下之動，而觀其會通，以行其典禮，繫辭焉以斷其吉凶，是故謂之爻。」上言「之賾」、「之動」，下言「至賾」、「至動」，文勢上下貫串；若下並作「至賾」，則前後失呼應矣。蓋爲轉抄譌誤也。

(4)《莊子・讓王篇》：「今周見殷之亂而遽爲政，上謀而下行貨，阻兵而保威。」
《呂氏春秋・誠廉篇》作：「上謀而行貨，阻兵而保威也。」「行」前無「下」字。

王念孫曰：

(《讓王篇》)「上謀而下行貨」，「下」字後人所加也。「上」與「尚」同。「上謀而行貨，阻兵而保威」，句法正相對。後人誤讀「上」爲上下之「上」，故加「下」字耳。⑩

今按：王氏說是。「上謀」兩句爲對仗句，《讓王篇》

上句衍一「下」字，遂使上下兩句參差，故知當從《誠廉篇》
也。

3. 據對應詞語辨

(5)《管子‧版法篇》：「參於日月，佐於四時。」
　　宋本、朱本及《版法解》後一分句並作「伍於四時」。

王念孫曰：

「佐」當從朱本作「伍」，字之誤也。參於日月，與日
月而三也；伍於四時，與四時而五也。⑪

今按：「參」「伍」兩字對文，義同一類，作「佐」
則不協，故知其為字誤。

4. 據上下文意辨

(6)《左傳‧隱公元年》：「不義不暱，厚將崩。」杜預
《注》曰：「不義於君，不親於兄，非眾所附，雖厚必
崩。」
　　《說文‧黍部》：「䵑，黏也。」引《春秋傳》，作「不
義不䵑」。

邵晉涵曰：

《說文》作「䵑」，言不義者不能堅固，故下文云「厚將
崩」，今本作「不暱」，杜《注》訓暱為親，則與「厚將
崩」之文詞不相屬矣。⑫

今按 ：邵氏說是。《左傳》作「暱」，乃借字也。

5. 據聲韻規律辨

(7)《淮南子‧天文訓》：「景風至，則爵有位，賞有功；涼風至，則報地德，祀四郊；閶闔風至，則收縣垂，琴瑟不張；不周風至，則修宮室，繕邊城；廣莫風至，則閉關梁，決刑罰。」

「涼風至」一句，《白虎通‧八風篇》作：「涼風至，報地德，祀四鄉。」「廣莫風至」一句，《太平御覽》卷二七引作：「廣莫風至，則閉關梁，斷罰刑。」王念孫曰：

(《天文訓》)「祀四郊」本作「祀四鄉」。四鄉，四方也。……若作「四郊」，則失其義矣。且「鄉」與「功」、「張」為韻，若作「郊」，則失其韻矣。「決刑罰」本作「決罰刑」……「刑」與「城」為韻，若作「刑罰」，則失其韻矣。⑬

6. 據史料記載辨

(8)《左氏春秋經‧莊公三十二年》：「冬十月己未，子般卒。」
公羊、穀梁《春秋》「己未」並作「乙未」。

李富孫曰：

案《釋例‧春秋長曆》，莊卅二年：「十月戊午，朔，

大。」又云：「十月己未，二日。」則十月不得有乙未，「己」「乙」以字形相似而誤。⑭

7. 據文章體例辨

(9)《詩·周南·漢廣》：「南有喬木，不可休息，漢有游女，不可求思。」

《韓詩外傳》卷一第三章引《詩》，「不可休息」作「不可休思」。

戴震以為作「思」字是，曰：

經文「思」或作「息」者，轉寫之誤……《韓詩外傳》引此作「不可休思」。凡《詩》中用韻之句，韻下有一字或二字為辭助者，必連用之，數句並同，不得有異。⑮

8. 據類似情況辨

(10)《漢書·地理志下》金城郡臨羌，注曰：「莽曰鹽羌。」

《水經注·河水二注》則曰：「王莽之監羌也。」

王念孫云：

「鹽羌」當依《水經注》作「監羌」，凡縣名上一字稱「臨」者，王莽多改為「監」。⑯

今按：王說至確。如，齊郡之臨朐，「莽曰監朐」；武陵郡之臨沅，「莽曰監沅」；蜀郡之臨邛，「莽曰監邛」；巴郡之臨江，「莽曰監江」，安定郡之臨涇，「莽曰監涇」⑰：情況與此並相類似，故知「莽曰鹽羌」亦當作「莽曰監羌」也。

以上關於「辨」的方法，純屬舉例性質。「辨」法頗多，難以盡述。要之，「辨」善包容，諸般知識，皆可爲用；用之合理，便成一法。「辨」無定法，因文制宜，活法活用，無往不利；活法死用，雖多無益。

二、異文應用中的三原則

(一)恰當估價

這是說，每一個應用異文的人，首先必須在思想上對於異文的使用價值，有個正確的認識。

異文的使用價值可以從兩個方面看：一是異文材料本身在異文應用中的價值；二是異文應用在語文科學研究中的價值。

關於異文材料在異文應用中的價值，我們前邊已經說過：它純粹在於提供一種比較的材料。至於比較中鑒別、推理，以及其他各種運用材料的能力，則完全決定於應用者本人的學識。在整個比較過程中，始終有賴於其他方法的使用。

那麼，關於異文應用在語文科學研究中的價值又是如何的呢？

應該說，異文應用，作爲一種研究方法，它無論是在校勘、訓詁等的應用方面，還是在音韻、文字、語法、修辭等的研究方面，都具有不容忽視的作用，不失爲一種行之有效的科

學方法。這是無庸置疑的。

　　但是，也必須看到，異文並不是可以包治百病的靈丹妙藥，它的應用畢竟有一定的適應性和局限性。

　　首先，異文雖說是古代文獻中一種極為常見的現象，但是也絕不可能是古書中的每一句話、每一個字，都能找到它的異文或者其他可供利用的異文。當然，沒有異文，也就談不到異文的應用。

　　其次，即使有了異文，也不一定都能應用得上，例如，因形誤造成的異文就不可以拿來解釋詞義。在這種情況下，我們的研究工作就只能依靠其他方法去進行，而異文應用作為一種研究方法，再好也派不上它的用場。

　　再其次，往往有些問題，應用異文也祇能得出一種比較抽象、模糊的結論。

　　比如，利用有同義關係的異對應字詞進行訓詁，就祇能做到粗知 A 字詞與 B 字詞在文中意思大體相當，卻無法弄清楚 A 字詞與 B 字詞在通常情況下的差別來。如：

　　　　《楚辭・九章・惜誦》：「九折臂而成醫兮」。
　　　　《說苑・雜言篇》則曰：「三折肱而成良醫。」

顯然，這裡的「九」和「三」是具有同義關係的異對應詞，都是表示「多次」意思的虛數。可是，在一般情況下，「三」和「九」更多的是作為基數詞來使用的，而「九」則是「三」的三倍。即使是這樣大的差別，在異文中也是不可能反映出來的。

　　又比如，利用具有語音同近關係的異對應字詞研究音韻，也祇能知道後世的 A 類音字和 B 類音字在古代某個時期讀音

相近或者相同而已。至於它們彼時的具體音值，則是不得而知的。

可以說，長於求同，短於知異，乃是異文應用法的最大弱點。

諸如此類的問題，如果我們想要進一步深入研究的話，是不能不更多地借助或者依靠於其他研究方法的。

總而言之，一方面，對於異文應用在語文科學研究中的作用，我們必須採取實事求是的態度，用一分為二的觀點辨證地看問題。既要看到它的重要性，也要看到它的局限性。祇有充份地認識到它的重要性，纔能提高我們應用異文的積極性和自覺性；而同時祇有意識到它的局限性，纔能防止對異文應用產生盲目、過份的依賴性。另一方面，對於異文材料本身在異文應用中所起的作用，我們也必須認識清楚，要知道，關鍵的問題是如何增進自己的學識，從根本上提高應用異文的能力。

祇要我們切切實實地按照以上的認識去做，我們應用異文的水平就一定會大大地提高，而異文應用作為一種行之有效的研究方法，也必將在語文科學各個方面的研究中得到進一步的合理的利用，從而發揮它應有的作用。

(二)科學使用

科學使用異文包括這麼兩個內容：一是講究異文（作為一種比較材料）應用過程中使用方法的科學性；二是科學地利用異文（作為一種研究方法）於語文科學研究之中。

先談異文（作為一種比較材料）應用過程中使用方法科學性的問題。

我們認為，一個完整的異文應用過程包括「找（找來可供利用的異文材料）──辨及判斷（辨清所用異文之致異原因、

形式類型以及異對應字詞之間關係等情況，並據之作出相應的判斷）——運用（將判斷的內容應用於研究對象）——結論（達到研究的目的）」四大環節。在這四大環節中，自始至終存在著使用方法是否合乎科學的問題。

　　在前面的章節裡，當我們討論到異文應用中「找」「辨」二要素的時候，我們曾經指出「找務廣泛」、「找宜靈活」的「找」的原則，也曾經介紹過一些行之有效的「辨」的方法，這些都屬於科學應用異文的內容；而當我們談到前人在應用異文過程中的存在問題的時候，我們曾經列舉了「強求一律」、「混淆關係」、「濫用亂套」三種最常見的毛病，這些都是不科學應用異文的表現。無論是科學應用的內容也好，還是不科學應用的表現也好，總是從正反兩個方面爲我們提供了經驗或教訓。如果我們把這些經驗教訓加以總結，便可以得出異文（作爲一種比較材料）整個應用過程中關於科學使用的要求，即：

　　　　找有原則，辨講方法，判斷務須弄清關係，運用不得濫用亂套，結論強調符合客觀。

這也是我們所說的科學使用異文的第一個內容對於我們的具體要求。

　　再談科學地利用異文（作爲一種研究方法）於語文科學研究中的問題。

　　我們曾經說過，異文作爲一種研究方法，在語文科學研究中不失爲一種行之有效的方法，但同時它也存在著一定的適應性和局限性。基於這種認識，我們認爲科學地利用異文於語文科學研究中，有必要做到下面三點：

第一、可以利用的，要善於利用；

第二、不能利用的，不勉強應用；

第三、提倡與其他研究方法結合使用。

關於第一、第二點，是用不著給予太多說明的，因爲無論是可以利用而不善於利用也好，還是不能利用卻偏要應用也好，其有違於「科學利用」原則，都是不言而喻的。但是關於第三點，卻還是有談一下的必要。因爲對於這個問題，不見得人人都有深刻的認識。

本來嘛，任何一種研究方法都不應該是排他的，何況異文應用本身還存在著一定的局限性，這就更不能不借助於其他研究方法以取長補短了。

提倡異文應用與其他研究方法結合使用至少有兩個好處：其一是可使論據更爲充份，論證更加有力，結論更能令人信服。其二是可以進一步解決單純依靠異文無法解決的問題。舉例說：

王引之《經傳釋詞》卷一論證「用，詞之『以』也」，曰：

《一切經音義》七引《蒼頡篇》曰：「用，以也。」（據之古訓──筆者注，下同）「以」「用」一聲之轉。（考之音理）凡《春秋公羊傳》之釋《經》，皆言「何以」，《穀梁》則或言「何用」，其實一也。（求之異文）《書‧皋陶謨》曰：「侯以明之，撻以記之，書用識哉。」用，亦「以」也，互文耳。（證以互文）

這裡王氏分別從古訓、音理、異文、互文四個方面證明「用」爲「詞之『以』」，其說服力當然比單純拿異文作爲證明材料要大得多囉！

又，黃綺先生證明「審母二等不卷舌確是上古方言現象」，根據「犀比」（《楚辭‧招魂》：「晉制犀比」）也作「鮮卑」（《楚辭‧大招》：「若鮮卑只」），也作「胥紕」（《史記‧匈奴列傳》：「黃金胥紕」），又作「犀毗」（《漢書‧匈奴傳》：「黃金犀毗」），又作「師比」（《趙策二》：「黃金師比」）的異文材料，推論曰：

> 拿上古釋語對比，如「犀比」、「鮮卑」、「胥紕」、「犀毗」、「師比」等，雖是考古學家和語言學家有不同的看法，有人認為來自匈奴語 serbi，有人認為是滿洲語 sabi 的譯音，又有人拿蒙古語 serbe 做比較；總之，它們的聲母都是舌尖前的摩擦音 S，漢語翻譯的漢字「犀」、「鮮」、「胥」正是心母，但是其中《趙策》卻用了審母二等的「師」字，是漢代審母二等唸 S 的另一種證據。⑱

這裡，黃先生在論證過程中並不是僅僅局限於異文材料的應用，而是在運用異文材料的同時，又聯繫了不同民族的語言來進行比較考察，這就使他最後所得出的結論，不祇是籠統地知道審母二等字與心母字於漢代同屬一類，而且能夠進一步知道：漢代審母二等字與心母字，都讀 S 之音，從而為其「審母二等不卷舌確是上古方言現象」的論點提供證明。

㈢慎重立論

這是說，我們在應用異文進行語文科學研究的時候，凡是作出一個判斷，得出一個結論，都必須做到有理有據，恰如其份，不要輕下判斷，不可言過其實。輕下判斷，容易搞錯；言

過其實，難以服人。故愼重立論，亦爲應用異文者所當遵循之法則。

　　前人立論，有的比較愼重，如：

　　《淮南子・說山訓》前旣云「和氏之璧，隨侯之珠」，後又言「咼氏之璧，夏后之璜」，黃綺先生據之曰：

> 溪母與匣母在上古漢語中的確有相混合的，《淮南子・說山訓》一篇文章，前面說「和氏之璧」，下面又說「咼氏之璧」，至少是劉安嘴裡溪匣不分⑲，但不能斷定他是唸溪爲匣，還是唸匣爲溪……⑳

所論就很愼重。

　　但也有的尙未做到十分愼重，像前面說過的錢大昕主要根據古書異文外加一些古書注音材料來論證「古無輕脣音」，就未免結論大於論據，有言過其實之嫌。假若他當初在論證過程中能多加進一些諸如輕脣字在保留古音較多的方言中正讀重脣之類的材料，或者乾脆就把結論降格爲「古無輕重脣音之分」，那可就完全令人信服了。㉑

　　愼重立論，對於某些一時難以分辨清楚的問題（有的問題或許永遠也無法分辨清楚）就不宜作出過份明確的判斷。這樣做也許覺得不夠痛快，但卻是比較客觀地反映了自己的認識水平，也可以避免由於判斷失誤帶來的一連串錯誤。

　　比如說，異文中某些異對應字詞到底是由什麼原因造成的，是形譌還是音譌？有時候是很難說得清楚的。對於這樣的問題，李富孫的《春秋三傳異文釋》就處理得比較好，如：

　　《左傳・僖公二十七年》：「郤縠可。」

《釋文》「穀」作「穀」，云：「本又作『穀』，同。」

李富孫釋曰：

「穀」與「穀」形聲相雜。㉒

又，《左傳・僖公二十四年》：「使續叔、桃子出狄師。」

《釋文》云：「桃……本或作『姚』，亦宜音『桃』。」

李富孫釋曰：

「姚」與「桃」亦形聲相亂。㉓

這裡，李氏並不肯定其為形譌抑或音譌，而但統言之為「形聲相雜」、「形聲相亂」，這種慎重的態度是可取的。

注　釋

①服氏語轉引自《左傳》該句孔穎達正義。

②據《元和姓纂》卷六所引。今本《風俗通義》無此文，蓋佚。

③見《經義述聞》卷十二。

④見《經義述聞》卷九。

⑤《積微居讀書記・讀〈呂氏春秋〉札記》。

⑥轉引自王世舜《尚書譯注》。

⑦見《經傳釋詞》卷十「無毋亡忘妄」條。

⑧《讀書雜志・淮南內篇第六》。

⑨《讀書雜志・戰國策第二》。

⑩《讀書雜志·餘篇上》。

⑪《讀書雜志·管子第一》。

⑫轉引自李富孫《春秋三傳異文釋》卷一。

⑬《讀書雜志·淮南內篇第三》。

⑭《春秋三傳異文釋》卷二。

⑮《毛鄭詩考正》卷一。

⑯《讀書雜志·漢書第七》。

⑰並見《漢書·地理志》。

⑱見《論聲母分合——〈揚雄方言音辨〉問題之一》㈡。

⑲「咼」聲屬溪母;「和」聲屬匣母。

⑳見《論聲母分合——〈揚雄方言音辨〉問題之一》㈢。

㉑這裡並無貶低錢氏的意思,他在當時能夠提出這樣的古音
學命題,已經是很了不起的事。

㉒㉓見《春秋三傳異文釋》卷三。

結　語

　　前面我們已經對古籍異文的情況及其應用進行了比較詳細、全面的分析討論，這裡作個簡單扼要的小結。

　　凡記載同一事物的各種文字資料，字句互異，都叫異文。

　　同事異文，乃是古文獻中極爲常見的現象。大凡一部書的不同傳本、版本，記載同一事物的各種資料，具有引用與被引用關係的文獻之間，都可以見到異文的影子。

　　異文的產生原因多種多樣，表現形式不拘一格，對應字詞之間關係亦極紛繁複雜。但是盡管異文看起來形形色色，卻都有一個共同的特點，這就是異文之間既有差異又有聯繫，既對立又統一的特點。正是由於這個特點，纔使得人們有可能據正確以訂謬誤，據已知以求未知，據改易以證史實，據差異以較優劣，據變化以看發展———一句話，纔有了利用異文進行語文科學研究的可能。

　　透過異文這個特點，我們進一步認識到異文應用的實質。我們認爲：從方法論來說，異文應用說到底就是一種文獻比較法。從異文雙方（文獻）的比較中得出某種判斷，再將判斷加以運用，從而得出結論，這就是異文應用的全過程，也就是異文應用的實質。

　　早在西漢時代，就已經有劉向利用不同傳本異文進行大規模古籍校勘的先例。其後，異文越來越廣泛地被應用到校勘、訓詁、音韻研究、文字研究、語法研究、修辭研究以及各種考

證工作之中。這種應用，到了清代，最爲鼎盛。可以說，清人對於異文的應用，已經從祇知道作些呆板比較的消極應用，進入到能動的、積極的應用了。這也使他們在語文科學各個方面的研究中取得了極其可喜的成績。後代學者，繼此道者不乏其人，而且時有創新。

但是，事物總是一分爲二的。由於前人對於異文本身情況及其應用缺少必要的研究，遂使異文應用因爲沒有科學的理論指導而不可避免地出現這樣那樣的錯誤。强求一律，混淆關係，濫用亂套，就是其中較爲常見的錯誤。

前人在語文科學研究中應用異文的實踐，爲我們提供了經驗與教訓。有鑒於這些經驗教訓，我們提出了應用異文時候必須注意的二要素和應該遵循的三原則。

二要素指的是異文應用過程中的前兩個環節——「找」和「辨」。

我們認爲，找來可供利用的異文材料，是異文應用的前提；並進一步提出了「找務廣泛」、「找宜靈活」的「找」的要求。

我們又認爲，辨清所用異文之致異原因、形式類型以及異對應字詞之間的關係等情況，乃是異文應用之關鍵，因而特別强調了「辨」的方法問題。

三原則說的是：對異文的使用價值必須恰當估價；對應文的使用方法必須講究科學；在異文使用過程中必須立論愼重。

我們認爲，作爲異文材料本身，它在異文應用中的作用，純粹在於提供一種比較的材料，至於比較中鑒別、推理，以及其他各種運用材料的能力，則完全決定於應用者本人的學識，在整個比較過程中，始終有賴於其他方法的使用。因此，要想從根本上提高應用異文的能力，關鍵的問題是增長自己的學

識。

至於異文應用在語文科學研究中的價值，辨證地看，它既不失爲一種行之有效的研究方法，但也有一定的適應性和局限性。因此，我們既要積極地利用它，又不可過份地依賴它。

我們又認爲，在「找──辨及判斷──運用──結論」這整個異文應用過程中，始終存在著使用方法是否科學的問題；提出了「找有原則，辨講方法，判斷務須弄清關係，運用不得濫用亂套，結論強調符合客觀」的異文應用法則。

我們特別指出了利用異文進行語文科學研究時候與其他研究方法結合使用的重要性，以爲這是取長補短，克服異文應用局限性的好方法。

我們還認爲，在異文應用的過程中，凡是作出一個判斷，得出一個結論，都必須有理有據，恰如其份，對於某些一時無法分辨清楚的問題則不要勉而爲之，這樣纔能比較客觀地反映自己的認識水平。

以上就是本書的要點。

附錄　本書引用著作目錄

(一)引用書目

2 畫

十三經注疏附校勘記　〔北京〕中華書局 1980 年影印原世界書局
本

十駕齋養新錄　〔清〕錢大昕著　上海書店 1983 年版

3 畫

三家詩異文疏證　〔清〕馮登府撰

三國志　〔晉〕陳壽撰　〔劉宋〕裴松之注　〔北京〕中華書局
1959 年版

上古音手冊　唐作藩編著　江蘇人民出版社 1982 年版

山海經　袁珂校注　上海古籍出版社 1980 年版《山海經校注》
本

大唐西域記　〔唐〕釋玄奘譯　〔唐〕釋辯機撰　1919 年上海商
務印書館《四部叢刊》本

大戴禮記　〔漢〕戴德撰　〔清〕王聘珍解詁　〔北京〕中華書局
1983 年版《大戴禮記解詁》本

4 畫

文子 〔周〕辛鈃撰 〔清〕錢熙祚校 1922 年上海博古齋景印
《守山閣叢書》本

文苑英華辨證 〔宋〕彭叔夏著 〔北京〕中華書局 1985 年新一
版《叢書集成初編》本

文選 〔梁〕蕭統編 〔唐〕李善注 〔北京〕中華書局 1977 年影
印胡克家刻本

方言 〔漢〕揚雄撰 〔清〕錢繹箋疏 上海古籍出版社 1984 年
影印清光緒十六年紅蝠山房《方言箋疏》本

太平御覽 〔宋〕李昉等撰 〔北京〕中華書局 1960 年複印上海
涵芬樓景宋本

太平廣記 〔宋〕李昉等撰

王右丞集箋注 〔唐〕王維撰 〔清〕趙殿成箋注 1936 年上海
中華書局排印《四部備要》本

廿二史考異 〔清〕錢大昕撰 〔北京〕中華書局 1985 年新一版
《叢書集成初編》本

元和姓纂 〔唐〕林寶撰 上海古籍出版社 1987 年影印文淵閣
《四庫全書》本

孔子家語 〔清〕陳士珂疏證 上海書店 1987 年複印商務印書
館 1940 年版《孔子家語疏證》本

孔叢子 〔漢〕孔鮒撰 〔北京〕中華書局 1985 年新一版《叢書集
成初編》本；又，1919 年上海商務印書館《四部叢刊》本；
又，1936 年上海中華書局排印《四部備要》本

尹文子 〔周〕尹文撰 上海古籍出版社 1990 年版《諸子百家叢
書》本

中國文獻學 張舜徽著 〔鄭州〕中州書畫社 1982 年版

中華大字典 〔北京〕中華書局 1978 年縮印本

少儀外傳 〔宋〕呂祖謙撰

水經注 〔後魏〕酈道元撰 〔民國〕王國維校 上海人民出版社 1984 年版《水經注校》本

公羊春秋 同「公羊傳」條

公羊傳 〔漢〕何休解詁 〔唐〕徐彥疏 〔清〕阮元撰校勘記 〔北京〕中華書局 1980 年影印原世界書局《十三經注疏》本《春秋公羊傳注疏》

毛詩 〔漢〕毛亨傳 〔漢〕鄭玄箋 〔唐〕孔穎達疏 〔清〕阮元撰校勘記 〔北京〕中華書局 1980 年影印原世界書局《十三經注疏》本《毛詩正義》

毛鄭詩考正 〔清〕戴震撰 清咸豐十一年廣東學海堂補刊《皇清經解》本

5 畫

玉海 〔宋〕王應麟撰 上海古籍出版社 1987 年影印文淵閣《四庫全書》本

玉篇 北京市中國書店 1983 年影印張氏澤存堂《宋本玉篇》本

世說新語 〔劉宋〕劉義慶撰 余嘉錫箋疏 〔北京〕中華書局 1983 年版《世說新語箋疏》本

古文字類編 高明編 〔北京〕中華書局 1980 年版

古代漢語 王力主編 〔北京〕中華書局 1962 年版；又，1980 年修訂本

古書虛字集釋 裴學海著 〔北京〕中華書局 1954 年版

古書疑義舉例 〔清〕俞樾著 〔北京〕中華書局 1956 年版《古書疑義舉例五種》本

古書疑義舉例續補 楊樹達著 〔北京〕中華書局 1956 年版《古

書疑義舉例五種》本

古書讀法略例 〔民國〕孫德謙著 上海書店 1983 年複印商務
印書館 1936 年版本

札迻 〔清〕孫詒讓著 清光緒廿年籀高刊本

左氏春秋經 同「左傳」條

左傳 〔晉〕杜預注 〔唐〕孔穎達疏 〔清〕阮元撰校勘記 〔北
京〕中華書局 1980 年影印原世界書局《十三經注疏》本《春秋
左傳正義》

左傳補注 〔清〕惠棟撰 〔清〕錢熙祚校 1922 年上海博古齋
景印《守山閣叢書》本

石經尚書 〔清〕馬國翰輯 清光緒九年長沙嫏嬛館刊《玉函山
房輯佚書》本

史記 〔漢〕司馬遷撰 〔劉宋〕裴駰集解 〔唐〕司馬貞素隱
〔唐〕張守節正義 〔北京〕中華書局 1959 年版

史記正義 〔唐〕張守節撰 〔北京〕中華書局 1959 年版《史記》
本

史記索隱 〔唐〕司馬貞撰 〔北京〕中華書局 1959 年版《史記》
本

史記集解 〔劉宋〕裴駰撰 〔北京〕中華書局 1959 年版《史記》
本

史諱舉例 陳垣撰 〔北京〕科學出版社 1958 年版

白虎通 〔漢〕班固等撰 〔北京〕中華書局 1985 年新一版《叢書
集成初編》本

6 畫

老子 〔周〕李耳撰 朱謙之校釋 〔北京〕中華書局 1984 年版
《老子校釋》本

列子 〔周〕列禦寇撰　楊伯峻集釋　〔北京〕中華書局 1979 年版《列子集釋》本

竹書紀年 〔梁〕沈約注　〔清〕洪熙煊校　〔北京〕中華書局 1985 年新一版《叢書集成初編》本

7 畫

沈隱侯集 〔梁〕沈約撰　〔明〕張溥輯　1917 年上海掃葉山房石印《漢魏六朝百三名家集》本

初學記 〔唐〕徐堅等著　〔北京〕中華書局 1962 年版

孝經 唐玄宗注　〔宋〕邢昺疏　〔清〕阮元撰校勘記　〔北京〕中華書局 1980 年影印原世界書局《十三經注疏》本《孝經注疏》

呂氏春秋 〔秦〕呂不韋撰　陳奇猷校釋　〔上海〕學林出版社 1984 年版《呂氏春秋校釋》本

呂氏春秋校釋 同上條

吳越春秋 〔漢〕趙曄撰　〔北京〕中華書局 1985 年新一版《叢書集成初編》本

8 畫

孟子 〔漢〕趙岐注　〔宋〕孫奭疏　〔清〕阮元撰校勘記　〔北京〕中華書局 1980 年影印原世界書局《十三經注疏》本《孟子注疏》

事文類聚 〔宋〕祝穆撰　上海古籍出版社 1987 年影印文淵閣《四庫全書》本

兩周金文辭大系圖錄考釋 郭沫若著　〔北京〕科學出版社 1957 年新一版

昌黎先生集 〔唐〕韓愈撰　1936 年上海中華書局排印《四部備要》本

尚書 〔漢〕孔安國傳 〔唐〕孔穎達疏 〔清〕阮元撰校勘記
〔北京〕中華書局 1980 年影印原世界書局《十三經注疏》本《尚
書正義》

尚書譯注 王世舜 四川人民出版社 1982 年版

周易 〔魏〕王弼 〔晋〕韓康伯注 〔唐〕孔穎達正義 〔清〕阮元
撰校勘記 〔北京〕中華書局 1980 年影印原世界書局《十三經
注疏》本《周易正義》

周禮 〔漢〕鄭玄注 〔唐〕賈公彥疏 〔清〕阮元撰校勘記 〔北
京〕中華書局 1980 年影印世界書局《十三經注疏》本《周禮注
疏》

金薤琳琅 〔明〕都穆撰 上海古籍出版社 1987 年影印文淵閣
《四庫全書》本

佩文韻府 〔清〕張玉書等編 上海古籍書店 1983 年影印《萬有
文庫》本

卷施閣文集 〔清〕洪亮吉撰 清光緒中洪用懃授經堂刊《洪北
江全集》本

9 畫

前漢紀 〔漢〕荀悅撰 1919 年上海商務印書館《四部叢刊》本

春秋 同「左傳」條

春秋三家異文疏 〔清〕朱駿聲撰

春秋三傳異文釋 〔清〕李富孫撰 〔北京〕中華書局 1985 年新
一版《叢書集成初編》本

春秋左傳注 楊伯峻編著 〔北京〕中華書局 1981 年版

春秋經文三傳異同考 〔清〕陳萊孝撰

春秋繁露 〔漢〕董仲舒撰 〔清〕蘇輿義證 〔北京〕中華書局
1992 版《春秋繁露義證》本

風俗通義 〔漢〕應劭撰　吳樹平校釋　天津人民出版社 1980
年版《風俗通義校釋》本

後漢書 〔劉宋〕范曄撰　〔唐〕李賢等注　〔北京〕中華書局
1965 年版

10 畫

唐開成石經 1926 年皕忍堂景刊本

訓詁學概論 齊佩瑢　〔北京〕中華書局 1984 年版

晉書 〔唐〕房玄齡等撰　〔北京〕中華書局 1974 年版

通典 〔唐〕杜佑撰　1935～1937 年上海商務印書館景印《十
通》本

孫子 〔周〕孫武撰　〔北京〕中華書局 1954 年重印世界書局《諸
子集成》本《孫子十家注》

陳後主集 陳後主撰　〔明〕張溥輯　1917 年上海掃葉山房石
印《漢魏六朝百三名家集》本

草堂詩箋 〔宋〕魯訔編　〔宋〕蔡夢弼會箋

荀子 〔周〕荀況撰　〔清〕王先謙集解　〔北京〕中華書局 1954
年重印世界書局《諸子集成》本《荀子集解》

荀子集解 同上條

晏子春秋 〔周〕晏嬰撰　吳則虞集釋　〔北京〕中華書局 1962
年版《晏子春秋集釋》本

晏子春秋集釋 同上條

倭名類聚鈔 〔日本〕番陽那波道圓撰

11 畫

淮南子 〔漢〕劉安撰　劉文典集解　〔北京〕中華書局 1989 年
版《淮南鴻烈集解》

淮南鴻烈集解　同上條

商君書　〔周〕商鞅撰

商周青銅器銘文選　馬承源主編　〔北京〕文物出版社 1988 年版

逸周書　〔晉〕孔晁注　〔北京〕中華書局 1985 年新一版《叢書集成初編》本

康熙字典　〔北京〕中華書局 1958 年版

國語　上海古籍出版社 1978 年版

莊子　〔周〕莊周撰　〔清〕王先謙集解　〔北京〕中華書局 1987 年版《莊子集解》本

12 畫

集千家註分類杜工部詩　〔元〕高楚芳輯

集韻　〔宋〕丁度等撰　北京市中國書店 1983 年影印揚州使院重刻本

華嚴金師子章　〔唐〕法藏著　方立天校釋　〔北京〕中華書局 1983 年版《華嚴金師子章校釋》本

13 畫

詩　同「毛詩」條

詩三家義集疏　〔清〕王先謙撰　〔北京〕中華書局 1987 年版

詩集傳　〔宋〕朱熹集注　上海古籍出版社 1980 年版

詩經四家異文考　〔清〕陳喬樅撰

詩經異文釋　〔清〕李富孫撰

慎子　〔周〕慎到撰　上海古籍出版社 1990 年影印江陰繆氏藕香簃寫本

意林　〔唐〕馬總輯　1919 年上海商務印書館《四部叢刊》本

新序 〔漢〕劉向撰 〔北京〕中華書局 1985 年新一版《叢書集成初編》本

新唐書 〔宋〕歐陽修 〔宋〕宋祁撰 〔北京〕中華書局 1975 年版

新書 〔漢〕賈誼撰 〔清〕盧文弨校 〔北京〕中華書局 1985 年新一版《叢書集成初編》本

新語 〔漢〕陸賈撰 王利器校注 〔北京〕中華書局 1986 年版

資治通鑑 〔宋〕司馬光編著 〔元〕胡三省音註 上海古籍出版社 1987 年重印原世界書局版本

羣經平議 〔清〕俞樾撰

羣書治要 〔唐〕魏徵等撰 〔北京〕中華書局 1985 年新一版《叢書集成初編》本

楚辭 〔漢〕王逸章句 〔宋〕洪興祖補註 〔北京〕中華書局 1985 年新一版《叢書集成初編》本《楚辭補註》

楚辭集注 〔宋〕朱熹集注 上海古籍出版社 1979 年版

楚辭補註 同「楚辭」條

嵩山文集 〔宋〕晁說之撰 1934 年上海商務印書館《四部叢刊續編》本

經字異同 〔清〕張維屏撰

經典釋文 〔唐〕陸德明撰 〔北京〕中華書局 1983 年影印通志堂本

經典釋文序錄疏證 吳承仕著 〔北京〕中華書局 1984 年版

經傳釋詞 〔清〕王引之撰 〔長沙〕岳麓書社 1984 年版

經義述聞 〔清〕王引之撰 江蘇古籍出版社 1985 年版

14 畫

廣雅 〔魏〕張揖撰 〔清〕王念孫撰 江蘇古籍出版社 1984 年

影印王氏家刻《廣雅疏證》本

廣雅疏證 同「廣雅」條

廣韻 〔宋〕陳彭年等撰 北京市中國書店 1982 年影印張氏澤存堂《宋本廣韻》本

漢文文言修辭學 楊樹達編著 〔北京〕中華書局 1980 年版

漢書 〔漢〕班固撰 〔唐〕顏師古注 〔北京〕中華書局 1962 年版

漢語大字典 湖北辭書出版社、四川辭書出版社 1986～1990 年版

漢語音韻學 王力著 〔北京〕中華書局 1956 年版

漢舊儀 〔漢〕衞宏撰

說文引經考異 〔清〕柳榮宗撰

說文解字 〔漢〕許慎撰 〔北京〕中華書局 1963 年影印陳昌治刻本

說文解字注 〔清〕段玉裁撰 上海古籍出版社 1981 年影印經韵樓藏版本

說文解字繫傳 〔南唐〕徐鍇撰 〔北京〕中華書局 1985 年新一版《叢書集成初編》本

說苑 〔漢〕劉向撰 趙善詒疏證 華東師範大學出版社 1985 年版《說苑疏證》本

爾雅郝注刊誤 〔清〕王念孫撰 1928 年東方學會印《殷禮在斯堂叢書》本

爾雅義疏 〔清〕郝懿行撰 北京市中國書店 1982 年影印咸豐六年刻本

鄧析子 〔周〕鄧析撰 上海古籍出版社 1990 年影印明刊本

管子 〔周〕管仲撰 〔清〕戴望校正 〔北京〕中華書局 1954 年重印世界書局《諸子集成》本《管子校正》

15 畫

潛夫論 〔漢〕王符著 〔清〕汪繼培箋 彭鐸校正 〔北京〕中華
書局 1979 年版

諸子平議 〔清〕俞樾著 上海書店 1988 年影印商務印書館舊
版本

論語 〔魏〕何晏集解 〔宋〕邢昺疏 〔清〕阮元撰校勘記 〔北
京〕中華書局 1980 年影印原世界書局《十三經注疏》本《論語
注疏》

穀梁春秋 同「穀梁傳」條

穀梁傳 〔晉〕范甯集解 〔唐〕楊士勛疏 〔清〕阮元撰校勘記
〔北京〕中華書局 1980 年影印原世界書局《十三經注疏》本《春
秋穀梁傳注疏》

墨子 〔周〕墨翟撰 〔清〕孫詒讓閒詁 〔北京〕中華書局 1986
年版《墨子閒詁》本

儀禮 〔漢〕鄭玄注 〔唐〕賈公彥疏 〔清〕阮元撰校勘記 〔北
京〕中華書局 1980 年影印原世界書局《十三經注疏》本《儀禮
注疏》

劉子 〔梁〕劉勰撰 林其錟、陳鳳金集校 上海古籍出版社
1985 年版《劉子集校》本

16 畫

戰國策 〔漢〕劉向集錄 上海古籍出版社 1985 年版

積微居讀書記 楊樹達著 〔北京〕中華書局 1962 年版

17 畫

禮記 〔漢〕鄭玄注 〔唐〕孔穎達疏 〔清〕阮元撰校勘記 〔北

京〕中華書局 1980 年影印原世界書局《十三經注疏》本《禮記正義》

韓非子　〔周〕韓非撰　〔清〕王先愼集解　〔北京〕中華書局 1954 年重印世界書局《諸子集成》本《韓非子集解》

韓詩外傳　〔漢〕韓嬰撰　許維遹校釋　〔北京〕中華書局 1980 年版《韓詩外傳集釋》本

韓詩外傳集釋　同上條

臨川先生文集　〔宋〕王安石撰　〔北京〕中華書局 1959 年版

瞥記　〔清〕梁玉繩撰

魏書　〔北齊〕魏收撰　〔北京〕中華書局 1974 年版

18 畫

顏氏家訓　〔北齊〕顏之推撰　王利器集解　上海古籍出版社 1980 年版《顏氏家訓集解》

顏氏家訓集解　同上條

19 畫

類說　〔宋〕曾慥輯

藝文類聚　〔唐〕歐陽詢撰　汪紹楹校　〔北京〕中華書局 1965 年版

辭海　上海辭書出版社 1979 年版三卷本

辭海·語詞分册　上海人民出版社 1977 年版

辭源（修訂本）　〔北京〕商務印書館 1979～1983 年版

21 畫

續一切經音義　〔遼〕釋希麟撰

續高僧傳　〔唐〕釋道宣著　〔臺北〕文殊出版社 1988 年版

續家訓　〔宋〕董正功撰

22 畫

讀書雜志　〔清〕王念孫撰　　江蘇古籍出版社 1985 年版

24 畫

鹽鐵論　〔漢〕桓寬撰　　〔北京〕中華書局 1954 年重印世界書局《諸子集成》本

(二)引用篇目

六家要指　〔漢〕司馬談　　見《史記・太史公自序》

《經傳釋詞》正誤　裴學海　附載〔北京〕中華書局 1954 年版《古書虛字集釋》卷末

評高郵王氏四種　裴學海　《河北大學學報》1962、3

論聲母分合——《揚雄方言音辨》問題之一(二)　黃綺　《河北大學學報》1963、4

《古代漢語》上冊（第一分冊）中語法、訓詁問題的商榷　裴學海、王蔭濃、程垂成、謝質彬　《河北大學學報》1963、4

論聲母分合——《揚雄方言音辨》問題之一(三)　黃綺　《河北大學學報》1964、5

試談馬王堆漢墓中的帛書《老子》　高亨、池曦朝　〔北京〕《文物》1974、11

「分」、「啊」一音的有力佐證　張德鴻　《昆明師院學報》1979、2

校勘略說　蔣禮鴻　《安徽師大學報》1979、4

古籍校讀與語法學習　彭鐸　〔北京〕《中國語文》1979、5

反切異文在音韻發展研究中的作用　黃典誠　〔北京〕《語言教
　學與研究》1981、1

所見＝所　吳金華　〔北京〕《中國語文》1981、5

秦簡日書中「夕」（衆）字含義的商　饒宗頤　《中國語言
　學報》第一期　〔北京〕商務印書館1982、12

「爲⋯⋯所見」和「『香』『臭』對舉」出現時代的商榷　張永言
　〔北京〕《中國語文》1984、1

太原考　于逢春　《蘭州大學學報》1984、2

《史記》標點商榷　白平、王瑾　〔長沙〕《古漢語研究》1992、4

國家圖書館出版品預行編目資料

古籍異文研究／王彥坤著. --初版. --臺北市
：萬卷樓發行；三民總經銷, 民79
面；　公分
參考書目：面
ISBN 957-739-159-1(平裝)

1.校勘學

011.8　　　　　　　　　　　85012379

古籍異文研究

著　　　者：王彥坤
發 行 人：許錟輝
總 編 輯：許錟輝
責 任 編 輯：李冀燕
發 行 所：萬卷樓圖書有限公司
　　　　　　台北市和平東路一段67號14樓之1
　　　　　　電話(02)3216565・3952992
　　　　　　FAX(02)3944113
　　　　　　劃撥帳號15624015
總 經 銷：三民書局股份有限公司
　　　　　　台北市復興北路386號
　　　　　　訂書專線(02)5006600（代表號）
　　　　　　FAX(02)5164000・5084000
承 印 廠 商：晟齊實業有限公司
定　　價：220元
出 版 日 期：民國85年12月初版
出版登記證：新聞局局版臺業字第伍陸伍伍號

ISBN 957-739-159-1